文豪ストレイドッグス

太宰治の入社試験

朝霧カフカ

18499

角川ビーンズ文庫

口絵・本文イラスト／春河35

だってねエ、理想は喰《た》べられませんものを!

——國木田獨歩《くにきだどっぽ》「牛肉と馬鈴薯《ばれいしょ》」

序幕《プロロオグ》

理想とは何か。

その問いへの答えは無数に在る。曰《いわ》く言葉である、思想である、凡百《あらゆる》意味の源泉である。

俺に云《い》わせれば、その答えは明確だ。

俺の手帳の表紙、そこに書かれた単語である。


俺の手帳は万能《ばんのう》だ。それは指針として、主君として、預言者として俺を導く。時に武器となり鍵《かぎ》ともなる。


理想。

その手帳には俺の凡《すべ》てが書き込まれている。何時《いつ》も持ち歩くその手帳が、俺の未来の凡てだ。

夕食の献立《こんだて》から五年後の引越《ひっこ》し計画まで。

明日の業務目録《リスト》から大根の地域最安値まで。

予定、計画、目的と指針。その手帳に凡て書き込まれ、俺によって実現されるのを待って居る。

大袈裟《おおげさ》な云い方をすれば——その『理想』と書かれた手帳は、俺にとっての未来預言書だ。

理想は常にそこにある。

俺はそこへ向かうだけで善《よ》い。

手帳の計画に従う限り、俺の未来は俺自身の支配《コントロール》下《か》にある。

未来の支配《コントロール》。

何と耀《かがや》かしい言葉か。


しかし——

幾《いく》ら理想が輝《かがや》かしかろうと、その実現に至る道が杳々《ようよう》として遠く見えざれば、輝きは拵物《イミテーション》に等しく、理想は寝言《ねごと》に等しい。

それ故《ゆえ》に、手帳を開いた第一の頁《ページ》には、理想へと至る最短の心得が書かれている。

『すべきことをすべきだ』。


俺の名は国木田独歩《くにきだどっぽ》。

現実を往《ゆ》く理想主義者にして、理想を追う現実主義者。

これは理想の実現を希《こいねが》う俺と、理想《それ》をしっちゃかめっちゃかにかき乱す星の下《もと》に生まれた或《あ》る新入社員との、激闘《げきとう》の顚末《てんまつ》である。

○　○　○

七日。

吾《わ》が手帳の新たなるを繰《く》り両三日《りょうさんにち》を経《へ》たり。

其《そ》の間吾《われ》に関する重《じゅう》なる事は左の如《ごと》し。

○竹越《たけこし》君来宅。相伴《あいともな》ふて月下《げっか》を逍遙《しょうよう》せり。

○電網潜士《でんもうせんし》の田口《たぐち》君より返電在り、外《と》つ国《くに》よりの艦船《かんせん》の件。

○梨《なし》を食ひしも、梨甘からず。

区々《くく》の事に思ひ煩《わずら》ふ勿《なか》れ。

僻様《ひがざま》ならざるを成す、嗚呼《ああ》吾《われ》また此《こ》の外《ほか》に何を望まんや。

「待て！」

下手人《げしゅにん》を追って、横浜《よこはま》の街《ちまた》を駆《か》けてゆく。

商店街の雑踏《ざっとう》は今日も喧《かまびす》しい。呼び込みの出店の賑《にぎ》やかな声、途《みち》を歩く人出のざわめき、値引きを請《こ》う客の声と、人車《くるま》の東西に駆けぬける車輪の音。通りの右端《みぎはし》で喧嘩《けんか》が起こっても、左端の人間は気付きもしないに違《ちが》いない。

俺は人通りの喧噪《けんそう》を押し退《の》け、下手人《げしゅにん》を追っていた。

相手はちんけなこそ泥《どろ》だ。宝飾店《ほうしょく》で騒《さわ》ぎを起こし、商品を強奪《うば》って逃《に》げる。小物だが、被害《ひがい》が三件続き、商店街も無視できず捕縛《ほばく》を依頼《いらい》してきた。

四件目の現場から逃げるこそ泥を追う。敵は健脚《けんきゃく》で速度が落ちない。商店が終わり、細い裏道に逃げられては姿を見失う。俺は騒然紛然《そうぜんふんぜん》とした通りを駆けぬけていく。

「遅《おく》れるな新入り！」

自分の後方を走る同僚《どうりょう》に叫《さけ》んだ。

「ちょっと待って国木田君。靴紐《くつひも》ほどけた」

「知らん！　疾《はや》く来い！」

後方からのたのたと付いて来るのは、仕事の同僚。つい先日入社したばかりの新人だ。名は**太宰治**《だざいおさむ》。

すました名だ。

「ああ疲《つか》れた、国木田君速いよ、もうちょっとゆっくり走ろうよ。健康に悪いよ」

「善《い》いから走れこの懶太郎《ものぐさたろう》！　お前の所為《せい》で俺の胃は頗《すこぶ》る不健康だ！」

「おめでとう！」

「黙《だま》れ！」

この太宰と云う男、実力不明、経歴も不明、遣《や》る気は雀《すずめ》の涙《なみだ》。極《きわ》めて自分本位《マイペエス》であり、俺の予定を千々《ちぢ》に乱す。おまけに此奴《こいつ》の趣味《しゅみ》は——

「ところで国木田君。奴《やっこ》さん逃げちゃうよ」

述懐《じゅっかい》を邪魔《じゃま》する太宰の声に前を向けば、逃亡者《とうぼう》は出店の野菜をなぎ倒《たお》し、通りを左へと折れて逃げ去るところだった。

思わず舌打ちした。

記憶《きおく》の中から一帯の地図を思い起こす。奴が逃げた先は垣根《かきね》の並ぶ狭《せま》い住宅地だ。隠《かく》れる処《ところ》も逃げ込む家も売るほどある。

「見ろ太宰！　お前がとろとろ走るせいで、面倒《めんどう》な処に逃げ込まれた！」

「良《い》いじゃない、計算通りだよ。ねえそれより先刻《さっき》すごいもの見つけたんだけど、知りたい？」

「後にしろ！」

「実は『完全自殺読本』って云ってね、凄《すご》い稀覯本《きこうぼん》だよ。ずっと探してたのだけれど、古本屋の軒先《のきさき》にあるのを見附《みつ》けちゃって——ああ、早く戻《もど》らないと購《か》われちゃうなあ」

聞いてもいないことをぺらぺら喋《しゃべ》る。

「そんなに死にたいなら俺が撃《う》ち殺してやろうか!?」

俺が怒鳴《どな》ると太宰は、

「え、いいの？　悪いなあ」

笑顔《えがお》で照れた。照れる処《ところ》ではない。

この男、仕事にはまるで腰《こし》が入らん癖《くせ》に、明けても暮れても自殺の事ばかり考えて居る。俺には想像のとても及《およ》ばん世界だが、いかに楽に、かつ安価に、自らを死に至らしめる方法を日夜真剣《しんけん》に模索《もさく》しているのだと云《い》う。つまり自殺嗜癖《マニア》だ。

自殺嗜癖《マニア》？

何だその悍《おぞ》ましい言葉は。

だが、相棒が如何《いか》にぶっ飛んだ趣味を持って居ようが、そいつが如何《いか》に仕事の足を引っ張ろうが、犯人捕獲《ほかく》の任務を失敗する訳にはいかん。

何故《なぜ》なら、『依頼失敗』の文字は、手帳の予定表には書かれてないからだ。

犯人の姿を追って脇道《わきみち》を折れる。

曲がった先は薄幽《うすぐら》い細道。人ひとりが通れる程《ほど》の狭い裏道だ。両側が生垣《いけがき》で、古い宅地の裏庭やら井戸《いど》やらが見える。軒先には洗濯物《せんたくもの》が翻《ひるがえ》っている。

手許《てもと》の携帯端末《けいたいたんまつ》で、周囲の地図を呼び出す。画面に俺達の居所を示す光点と、その周囲の建築物と裏道の様子が表示された。細道が縦横に住宅街を走っており、しかも犯人が直進すれば、前時代の倉庫が並ぶ旧工場区だ。あそこに逃げ込まれ隠れられれば、まず見付けるのは不可能だ。

途《みち》の先で、小さくなっていく逃亡者の背中が見えた。犯人の目的地も倉庫街か。

「糞《くそ》っ！」

悪態が漏《も》れる。この距離《きょり》からでは迚《とて》も追い付けん。此所《ここ》で取り逃がせば、奴は孰《いず》れまた犯行を重ねるだろう。依頼人である商店は経営を危《あや》うくし、探偵《たんてい》社は悪評を一つ増やす。どうする。どうすれば良い？

「さて、早く終わらせて本購《か》わないと。彼奴《あいつ》の逃げる邪魔をすれば良いんでしょ？」

にこりと太宰が笑う。

太宰は大きく息を吸い込み、遠くまで響《ひび》く声で、

「火事だあっ！」

と叫んだ。

忽《たちま》ち犯人の逃亡路の前に、慌《あわ》てた住人達が飛び出して来た。調理鍋蓋《なべぶた》を抱《かか》えた婦人、寝《ね》ぼけ眼《まなこ》の青年、将棋盤《しょうぎばん》を抱えた老人。出るわ出るわ、泡《あわ》を食った近隣《きんりん》住居の家人達が、次々に現れて細道を塞《ふさ》ぐ。

たまらないのは逃亡犯だ。

逃亡路は混乱した人々で溢《あふ》れ返り、往《ゆ》くも戻るも儘《まま》ならない。脅《おど》して通ろうにも人々は火元探しに必死で聞く耳を持たない。引き返そうにも開いた木戸が途を塞ぐ。

「どう？」

「阿呆《あほう》！　確かに敵は止まったが、これでは俺達も進めん！」

「大丈夫《だいじょうぶ》、だって此所には敏腕《びんわん》探偵の国木田独歩が居るじゃないか！　と云う訳で見せ場を作ったから、張り切ってどうぞ」

後でその口縫《ぬ》い付けてやるからな！

俺は愛用の手帳を開き、素早《すばや》く文字を書き込む。

『鉄線銃《ワイヤーガン》』と走り書きされたその頁《ページ》を破り取り、紙片《しへん》に念を込める。

「『独歩吟客《どっぽぎんかく》』――！」

異能力。

それをどのようにして行うか、合理的に説明することは出来ぬ。ただそのようにしてある、と云う他《ほか》ない。何故手帳の頁《ページ》なのか、何故物理法則を無視して姿を変じるのか。理論的な説明をつけられる者は無い。

破られ、念を込められた手帳の紙片は、書き込まれた文言の通り、一挺の鉄線銃に姿を変えた。

俺は傍《かたわ》らの垣根に飛び乗り、逃亡犯に鉄線銃の銃口《じゅうこう》を向けた。

視線の向こうでは、退路に行き詰《づ》まった逃亡犯が道を塞ぐ市民を脅す為《ため》、懐《ふところ》より拳銃《けんじゅう》を取り出そうとしている処だった。

こんな場末のこそ泥《どろ》まで拳銃を持つとは、世も末だ。

兎《と》も角、こんな密集地で銃を撃たせる訳にはいかん！

俺は狙《ねら》いをつけ、鉄線銃の引金《トリガー》を引く。

鉄線銃より銛《もり》状の鉤針《かぎばり》が射出され、鋼鉄線の尾《お》を曳《ひ》きながら標的へと向かう。

逃亡犯が振《ふ》りかざそうとした拳銃を、俺の鉤針が弾《はじ》き飛ばした。更《さら》に逃亡犯の袖《そで》を貫通《かんつう》して背後の壁《かべ》に縫い止める。

「大的中《ジャックポット》」

太宰が下手《へた》な口笛を吹《ふ》いた。

俺は鉄線を巻き取りながら垣根を蹴《け》って跳《と》んだ。別の生垣を更に蹴って前進。住人達の頭上を飛び越《こ》え、逃亡犯の眼前に着地した。

俺が顔を上げるのと、逃亡犯が懐に隠し持った短刀を抜《ぬ》くのが同時だった。

至近距離から短刀が振り下ろされる。

素人《しろうと》が振り回す刃物《はもの》など、眠《ねむ》っていても中《あた》らん。

俺は軽く顔を横に振って刃《やいば》を躱《かわ》した。序《つい》でに犯人の肘《ひじ》と手首を軽く押さえる。

そのまま手首を捻《ねじ》りつつ、振り下ろされた勢いを利用して肘を逆向きに叩《たた》いてやった。

逃亡犯が宙を舞《ま》う。

逃亡犯は空高く円弧《えんこ》を描《えが》いて飛んだ後、逆しまに壁に叩き付けられた。何が起こったか判《わか》らないと云う驚《おどろ》きの顔のまま、落下して昏倒《こんとう》した。

相手の勢いを利用して投げる天地投げの技《わざ》だ。

啞然《あぜん》として声も出ない住人達が、俺と逃亡犯を見比べている。

漸《ようや》く追い付いた太宰が、笑顔で住人達に呼び掛《か》けた。

「はいどうも、皆様《みなさま》お騒《さわ》がせ致《いた》しました、もう大丈夫ですよ。あと火事も誤報です」

「あ……あんたら、一体」住人の一人が問う。

俺は衣嚢《ポケット》から探偵許可証を取り出し、その場に居る全員に見えるよう掲《かか》げ、そして云った。

「御心配《ごしんぱい》は要《い》りません。我々は武装探偵社です」

一・

八日。

今朝、降雨あり。

寒雨粛々《かんうしゆくしゆく》、厳寒の時節の如《ごと》し。

希《こいねがわ》くは理想に生きん。

理想を行うことを務めん。恐《おそ》れず、倦《う》まず、躊躇《ちゆうちよ》せずして進まん。

将来を夢《ゆめ》み光栄を追はずして、日々の職務に忠《ちゆう》なるものは幸《さいわひ》なる哉《かな》。

横浜の港にほど近い坂道を登ったその先に、武装探偵《たんてい》社の事務所がある。

煉瓦造《れんがづくり》の赤茶けた建築物《ビルヂング》だ。年季の入った建物で、潮風が強いために雨樋《あまどい》にも電柱にもくまなく錆《さび》が回っている。尤《もっと》も外見は危ういが造りは堅牢《けんろう》で、兇賊《きょうぞく》が外から機関銃《マシンガン》をぶっぱなしても内部には傷一つ無い。

何故《なぜ》そう云い切れるかというと、実際にぶっぱなした奴《やつ》が居たからだ。

ただ、探偵社が実際に居《きょ》を構えるのは建物の四階のみで、それ以外には他の、ごく穏当《おんとう》な店子《たなこ》が入っている。一階に喫茶処《きっさどころ》、二階に法律事務所。三階は空階《あきフロア》、五階は雑多な物置だ。喫茶処には給料日前はよく世話になるし、法律事務所は仕事で面倒《めんどう》があるたびに頭を下げに行く。

俺は今、その建物の昇降機《エレヴェーター》に乗り、探偵社に出社しようとしていた。

昇降機を降り、武装探偵社事務所のドアの前に立つ。ドアには簡素な毛筆で『武装探偵社』と書かれた額《がく》が掛かっている。

腕時計《うでどけい》を見る。出社時間である八時までには、まだ四十秒の猶予《ゆうよ》があった。

少し早く着きすぎて了《しま》ったか。

時間厳守が俺の信条《モットー》である。四十秒を待つ間、手帳を繰《く》って今日の予定《スケジュール》を再度確認《かくにん》することにした。既《すで》に朝食時に一度、寮《りょう》を出立する時に一度、信号待ちの時に一度確認しているが、予定確認が過ぎて死んだという話は聞かん。

手帳を読み、既に頭に入っている業務予定を反芻《はんすう》する。襟《えり》を正し、再度腕時計を見る。

……佳《よ》し。

「お早う御座《ござ》います」

ドアを開けた。

「ああ国木田君、お早う！　ねえ見給《みたま》えよ！　大変なんだ！」

ドアの前にはいきなり太宰が居た。笑って居る。

「竟《つい》に私はね、辿《たど》り着いたんだ！　嗚呼《ああ》、何と芳《かんば》しき世界だろう！　これが、これが死後の世界、黄泉比良坂《よもつひらさか》！　想像した通りだ、見給え！　青煙《せいえん》地に這《は》い、月光窓に砕《くだ》け、西空《にしぞら》に桃色《ピンク》の象が舞い踊《おど》る！」

大仰《おおぎょう》な身振《みぶ》りを交え、事務所のドア前で踊る太宰。邪魔《じゃま》だ。

「うふふふふ、矢張《やは》り『完全自殺読本』は名著だなあ！　裏の山道《さんどう》に生えてた茸《きのこ》を食するだけで、こんなにも楽しく愉快《ゆかい》な自殺の道へ逝《い》けるなんて！　素敵《すてき》！　うふふっ」

太宰の目の焦点《しょうてん》が合っていない。黒瞳《こくどう》が小刻みに痙攣《けいれん》している。

「な……何とか為《し》て下さい、国木田さん！」事務員の一人が涙目《なみだめ》で俺を見た。

察するに、業務時間前からずっとこの調子なのだろう。

太宰の机の上に目を遣《や》る。

そこには、先日購《か》ったとかいう『完全自殺読本』なる瀆神的《とくしんてき》な書帙《しょちつ》が、ある頁《ページ》を表にして置かれていた。頁の表題は『中毒死——キノコ』。書帙《しょちつ》の横の皿には、齧《かじ》りかけの茸《くきびら》が一片《いっぺん》。

しかもよく見ると、書に描かれた茸とは、微妙《びみょう》に色が違《ちが》う。

「ねえねえ国木田君、君もお出《い》でよ黄泉《よみ》の国！　ご覧、酒は飲み放題、ご馳走《ちそう》食べ放題、美女の匂《にお》いは嗅《か》ぎ放題！」

「助けて下さい国木田さん、我々ではどうしようも……」

要するに、太宰が食《しょく》したのは致死《ちし》毒の茸ではなく、『彼方《あっち》に逝《い》っちゃう系』の茸なのだろう。

だが、それはそれ。

俺は毎朝、出社直後は決められた順序で決められた行動を執《と》る。一日の最初を計画通り進めずして、その後の業務が計画通り進むであろうか？　断じて否《いな》である。

くねくねと絡《から》んでくる太宰と泣きついてくる事務員を無視し、俺は自分の机に向かった。

俺は何時《いつ》もと寸分違《たが》わぬ動作で机に鞄《かばん》を置く。電算筐体《コンピュータ》の電源を入れる。何時《いつ》もの動作で窓を開ける。

「うわっ！　窓の外に巨大《きょだい》なイソギンチャクがいるよ国木田君！　バナナを！　バナナを食べている！　周りの白いぴろぴろを丁寧《ていねい》に取り除いている！」

俺は何時もと寸分違わぬ動作で陶器杯《カップ》に珈琲《コーヒー》を淹《い》れる。前日の業務にて出た不要書類を廃棄《はいき》する。

「そうか判ったぞ、脱《ぬ》ぐんだ、脱げば視聴率《しちょうりつ》が稼《かせ》げるんだ！　簡単な事じゃあないか、脱ごう、そして代わりに全身タイツを着よう！　皆《みな》でタイツを着て銀行に行き、コサックダンスを踊るんだ！」

俺は何時もと寸分違わぬ動作で通信棚《だな》の電報を確認する。珈琲を一口飲む。

「声がする……ううっ、私の、私の頭の中に、居るんだ！　……小さいおっさんが！　そして囁《ささや》くんだ、京都に行けと、京都で一味《ひとあじ》違う本場の味噌田楽《みそでんがく》を食《く》ってみ」

俺は跳《と》び廻《まわ》し蹴《げ》りで太宰の後頭部を蹴り飛ばした。太宰は壁《かべ》に激突《げきとつ》し昏倒《こんとう》した。

○

○

○

そもそも。

この人間試験を受けたら完全零点《れいてん》で失格《しっかく》するに違いない男が俺の同僚《どうりょう》となったのは、僅《わず》かに四日前。

「新入社員？」

或《あ》る日、業務で資料纏《まと》めをしていると、社長室に喚《よ》ばれた。

新たに調査員を雇《やと》ったので面倒を見ろと云《い》う。

意外だった。

斬《き》った張ったの危険な荒事《あらごと》世界を稼ぎ場とする武装探偵社だが、調査員が足りぬという話を聞いたことは無かった。かく云う俺も、副業として週に二日、新鶴谷学館《しんつるやがっかん》という学問所で代数の講師をして居る。

無論、直近では《蒼色旗《そうしよくき》の反乱者《テロリスト》》事件、《横浜来訪者連続失踪《しっそう》》事件、非合法組織《ポート》マフィアとの衝突《しょうとつ》など、武装要員の必要とされる事件が増えている。主力調査員たる乱歩《らんぽ》さんの活躍《かつやく》では網羅《カヴァー》しきれぬ荒事の依頼《いらい》が増えつつあるのも確かだ。社長の決断は、それを見越《みこ》してのことだろうか。

「紹介《しょうかい》する。入れ」

しばし黙考《もっこう》していると、社長が室《へや》のドアに向かって声をかけた。

「どうもー」

満面の笑《え》みで入ってきたその男を見る。

砂色の外套《コート》に洋風の開襟襯衣《かいきんシャツ》。背は高く痩《や》せぎす、黒い蓬髪《ほうはつ》は手入れもなく身形《みなり》の整わぬ恰《かっ》好《こう》だが、何となく秀麗《しゅうれい》な顔立ちの男だ。頸《くび》と手首に巻いた白い包帯が少し気になった。

「太宰治。齢《よわい》は二十《はたち》。どうぞ宜《よろ》しく」

二十《はたち》。俺と同輩《どうはい》か。

「社員の国木田だ。判《わか》らん事があったら俺に訊《き》け」

「おお！　噂《うわさ》に高き武装探偵社の調査員ですか。感激だなあ！」

太宰と名乗った男は、無理矢理《むりやり》に俺の手を摑《つか》んで握手《あくしゅ》した。手を大袈裟《おおげさ》に振《ふ》る。

その時、ふと——その男の目に一瞬《いっしゅん》、冷たく鋭《するど》い光が宿った気がした。

先輩《せんぱい》社員を冷静に値踏《ねぶ》みするような。否《いや》、俺の心理人格まで透徹《とうてつ》させ見透《みす》かす、雲上の仙人《せんにん》のような——

だが瞬《また》きひとつのうちに仙人の視線は消え、太宰は気の抜《ぬ》けた顔に戻《もど》った。

見間違《みまちが》いか、目の錯覚《さっかく》か。

気を持ち直して俺は尋《たず》ねる。

「それで太宰、何故この探偵社に？　此所《ここ》は請《こ》えば入れる寺子屋のような処ではないぞ」

「それがねえ。無職で遣《や》ることもなくて呑《の》み屋で管《くだ》巻いてたら、偶々隣《たまたまとな》りあったおじさんと意気投合しちゃって。飲み比べで勝ったら仕事を斡旋《あっせん》して遣《や》るわい、って云うもんだから冗談《じょうだん》の積《つも》りで勝負したら、勝っちゃって」

誰《だれ》だそのおっさん。

「其《そ》の方《かた》は異能特務課の種田《たねだ》先生だ。昨日来訪され、宜しく頼《たの》むと挨拶《あいさつ》されていった」

社長が真顔で云う。

だが、さらっと出された種田先生の名前に、俺は呼吸が止まった。

内務省異能特務課の種田と云えば、市井《しせい》には存在すら知られていない、国の特務機関の重役である。業務は異能者の管理と情報統制。社長が武装探偵《たんてい》社を立ち上げる際も、種田先生の助力を大いに仰《あお》いだと聞く。

幾《いく》ら社長でも、種田先生の推薦《すいせん》した人物では無碍《むげ》に断れまい。

「お世話になります、センパイ」

俺の心中の不穏《ふおん》を知ってか知らずか、我らが新入社員は白い歯を見せて微笑《ほほえ》んだ。

○　○　○

だが、内務省の重鎮《じゅうちん》が認めた大人物であろうとなかろうと、朝っぱらから茸《きのこ》を食してあちらの世界にぶっ飛ばれては甚《はなは》だ迷惑《めいわく》だ。

太宰と組んで今日で三日目。

精神《こころ》は一時も休まらず、仕事は一向に進まず、苦情の入電は増え続けた。目を離《はな》すと直《す》ぐ入水だと云って河に飛び込む、気付けだと云って酒場で呑んだくれる、天啓《てんけい》を得たと云って美女を口説く。二十歳児《にじっさいじ》と呼ぶに相応《ふさわ》しい勝手気儘《きまま》な振る舞いで、俺の予定《スケジュール》を千々《ちぢ》に乱した。

さりとて仕事は仕事、部下は部下。面倒《めんどう》を見ろと云う社長の指示に対し僅《わず》か三日で音を上げたとあっては、社長の信頼《しんらい》はもとより、探偵社員の矜持《きょうじ》に悖《もと》る。

「如何《どう》だ、新人は」

探偵社近くの碁室《ごしつ》。狭《せま》い畳《たたみ》張りの一室で、社長が碁を打ちながら云った。

「大厄災《だいやくさい》です。悪魔《デビル》と悪霊《ガイスト》と貧乏神《びんぼうがみ》が合体したような奴《やつ》です」

俺は檜《ひのき》の碁盤《ごばん》に黒石《くろいし》を置く。木目の上で碁石が弾《はじ》ける音が響《ひび》く。

「しかし、まあ、何とかします」

業務後、俺と社長は、何時《いつ》も行く碁室で碁を打っていた。誰も居ない和室で、碁盤を囲んで正座で向かい合う。

「済まぬな」

社長の白石《しろいし》がツケて、好形《こうけい》を作っていた俺の右辺《うへん》を死地に戻す。

「いえ。種田先生の件もあります。しかし……先生は何故《なぜ》、あのような男に探偵社《ここ》を」

喋《しゃべ》りながらも手を探す。右下隅《みぎしたすみ》の白地に対しコウを狙《ねら》うか——否《いな》、二手ヨセコウが関の山だ。左辺で粘《ねば》っても中央に伸《の》びられて終わる。もう手が無い。社長と互先《たがいさき》で打つのはまだ少し掛《か》りそうだ。

「種田先生は奔放《ほんぽう》な性格だが、こと人物の鑑識眼《かんしきがん》に於《お》いては妙々《みょうみょう》たる人だ。彼《か》の若者に非凡《ひぼん》な才を見出《みいだ》したのかも知れぬ」

確かに、噂に聞く種田先生の目利《めき》きは稀代《きたい》のものらしい。でなければ内務省特務機関の采配《さいはい》などという大任が務まる筈《はず》もない。

だが——『非凡な才』？　あの、右耳と左耳の間に泥水《どろみず》が詰《つ》まっていそうな男が？

「私も種田先生と同意見だ。太宰は事前試験は筆記、実地共に満点で通過《パス》した。彼は頗《すこぶ》る優秀《ゆう》《しゅう》だ。其《そ》れも危《あや》うい程《ほど》」

「危うい……とは」

「太宰の過去を事務方に調べさせた。だが、何も無い。全くの空白だ。軍警諜報《ちょうほう》部に居る昵懇《じっこん》の友を頼《たよ》ったが、不気味な程に何も出ぬ。恰《あたか》も何者かが、念入りに過去を抹消《まっしょう》したかの様に」

軍警の諜報部でも過去が探《さぐ》れないとなると、確かに異常だ。

「或《あ》いは、本当に何も無く、ただぶらぶらして居ただけでは」

「かも知れぬ。然《さ》もなくば――」

何時もより更《さら》に眉間《みけん》に皺《しわ》を寄せて、社長は続けた。

「太宰の持つ異能力に就《つ》いて訊いたか？」

「いえ、まだ」

そう云えば、異能力者とは聞いたが、まだその力に就いては訊けていない。

「太宰の異能力は、『触《ふ》れた凡百《あらゆる》異能力を無効化する』と云《い》う力だ」

耳を疑った。

異能力無効化。一見すれば何の絢爛《けんらん》さも持たぬ粗朴《そぼく》な能力だが、異能の中でも特に異端《いたん》、使い様によっては異能組織ひとつ潰《つぶ》し得る超凡《ちょうぼん》なる能力である。

俺の異能力、『独歩吟客《ぎんかく》』は、手帳の頁《ページ》に文字を書き、手帳を破って念じると書いた物体を具現化出来ると云う能力だ。但《ただ》し手帳の寸法《サイズ》を大きく越《こ》える物は具現化出来ない。汎用《はんよう》性が高く優秀と評されることが多いこの能力だが、それでも『便利』の範疇《はんちゅう》を超《こ》えるものではない。必要な物があるなら、最初から携行《けいこう》しておけば善《い》いだろうと云われれば、その通りだからである。

だが太宰の異能力は違《ちが》う。

理論的に、太宰で無ければ打倒《だとう》出来ぬ敵と云うものが無数に存在する筈なのだ。世界最強の異能者でも、太宰の前では唯《ただ》の凡夫《ぼんぷ》となる。

各国の異能者組織が挙《こぞ》って引き抜きに掛かっても不思議ではない。

社長の云わんとするところが段々と飲み込めて来た。

「つまり……こう云う事ですか？　大人物《だいじんぶつ》たる種田先生の酒の席で、偶々《たまたま》そのような奇才《きさい》なる異能者が隣《となり》に座り、偶々《たまたま》意気投合した。言動は珍妙《ちんみょう》ながら筆記試験で満点を取るような頭の切れる男が今は偶々《たまたま》無職で、外《ほか》の伝手《つて》では迚《とて》も入社出来ない武装探偵社に、話の流れがとんとん拍子《びょうし》で進んで首尾《しゅび》良《よ》く入社した。——出来過ぎている、と？」

「考え過ぎやも知れぬ。しかし、武装探偵社には省庁、軍警の人脈も多い。職業柄《しょくぎょうがら》、国家機密に準ずる情報を扱《あつか》う事も多分に在る」

確かに、犯罪組織の一員であれば、警察機構と協力関係にある探偵社は、入り易《やす》さの割に利《メリ》点《ット》の多い潜入先《せんにゅう》だ。

しかし——太宰が、探偵社に潜入した間諜《かんちょう》かも知れない？

傑人《けつじん》たる種田先生を出し抜《ぬ》き利用する程の？

あの太宰が？

「国木田。お前に彼の男の『入社試験』を頼みたい」

俺は頷《うなず》く。社長の云う『入社試験』とは、探偵社が代々の調査員に課してきた、云わば『裏《うら》審査《しんさ》』である。これを経《へ》ない事には真実《ほんとう》の社員とは認められない。

「仕事に太宰を同行させ、その魂《たましい》の真贋《しんがん》を見極《みきわ》めよ。間諜《かんちょう》、密偵《みってい》、諜報員《スパイ》の類《たぐい》の疑い在りし時は躊躇《ためら》わず馘首《クビ》にせよ。そして何より若《も》し、その魂に邪悪《じゃあく》、奸凶《かんきょう》の兆《きざ》し在りし時は——」

社長は背後に用意して居た嚢《ふくろ》から、黒い自動拳銃《けんじゅう》を取り出し、俺に差し出した。

「…………」

無言で拳銃を受け取る。

重い。

「お前が討《う》て」

「はい」

若し太宰が何らかの奸計《かんけい》に与《くみ》しているなら、水際で阻止《そし》するのが探偵《たんてい》社の役目である。

武装探偵社の探偵許可証を持つ者には準警察的権限が付与《ふよ》される。拳銃や刃物《はもの》の携帯《けいたい》も条件付きで認可《にんか》されている。警察組織から情報も引き出せる。何より調査権限により、その気になれば当局捜査《そうさ》の攪乱《かくらん》、警察情報の改竄《かいざん》、重要施設《しせつ》の盗聴盗撮《とうちょうとうさつ》と、凡百《あらゆる》悪行が可能なのだ。最悪の場合、テロリストとして重要施設に破壊《はかい》工作を行い、何百 何千《なんびゃくなんぜん》の人命を奪《うば》うことすら不可能ではない。

俺の手の中で、黒鉄《くろがね》の自動拳銃は冷たく黙《もく》して居る。

○　○　○

さざ波を立てる入り江《え》に、月影《つきかげ》はその姿をひたしていた。

横浜の湾港《わんこう》をのぞむ雑踏《ざっとう》を歩く。潮《しお》の音《ね》は宵闇《よいやみ》の喧噪《けんそう》と競《きそ》い、月光は街の燈《あかり》と競っている。

俺が歩く背後《うしろ》を、太宰がひょこひょこと随《つ》いて来ている。

太宰の茸騒動《キノコそうどう》に半日費《つい》やし、漸《ようや》くで仕事に掛かれる運びとなった訳だ。

「国木田君、この前披露《ひろう》した君の異能力――『独歩吟客』だっけ。又《ま》た見せてよ」

「お断りだ。異能力は軽々しく披瀝《ひれき》するものではない。それに俺の異能力は一度毎《ひとたびごと》に手帳の頁《ページ》を消費《つか》う。この手帳はさる職人が年間百冊しか造らん限定生産品で値段も格別だ。お前相手の一発芸代わりになど使えるか」

俺は腕《うで》の時計を確認し、振《ふ》り返った。

「それより太宰、もう少し疾《はや》く歩け。約束の時間に遅《おく》れる」

「時間って云ったって国木田君、情報屋の処に行く刻限は、べつだん約束してないんじゃなかったっけ？」

「否《いや》、電話では『大体十九時頃《ごろ》』と云っておいた」

「で今丁度十九時だよ。場所は此所《ここ》から歩いて五分なんだから、遅れようがないよ」

「阿呆《あほう》！『十九時頃』と云えば、俺の時計で18：59：50から19：00：10の間の二十秒の事に決まって居るだろうが！」

「そんな時計持ってるの国木田君位《くらい》だよ……」

太宰がぶつくさ云いながら歩く。

因《ちな》みに俺の腕時計は毎朝起床《きしょう》と同時に専用装置にて標準時に同期させる為《ため》、誤差は一秒未満である。

「誰《だれ》かが多幸茸《ハッピーキノコ》を喰《く》った所為《せい》で、一日仕事にならなかったからな。二度とあんな物喰うな。喰うならちゃんと致死《ちし》毒の奴《やつ》を喰え」

「いやあ、楽しい一時《ひととき》でした」

「もう大丈夫《だいじょうぶ》なのだろうな。まだ空に桃色《ピンク》の象が見えていないか？」

「象？　馬鹿《ばか》だなあ、そんなもの飛んでる訳ないじゃない。飛んでるのは紫色《むらさきいろ》のゾウリムシだよ」

こいつもう駄目《だめ》かも知れない。

太宰と会話をする度《たび》、自分の疑念が阿呆《あほ》らしくなってくる。

この男が間諜《かんちょう》？　邪悪？

こいつに出来る悪行など、鉄道に飛び込んで運行時刻を乱す位《くらい》が関《せき》の山《やま》ではないのか。とは云え、太宰が唯《ただ》の面白《おもしろ》い無能ならば話は簡単、放逐《ほうちく》すれば善《い》い。俺としても願ったり叶《かな》ったりなのだが――

「太宰、これから向かう件の依頼《いらい》は憶《おぼ》えているだろうな」

「紫色のゾウリムシ退治」

「……先刻《さっき》から薄々《うすうす》思っていたが、お前態《わざ》と云ってるだろ？」

「あはは。あれでしょ？『幽霊屋敷《ゆうれいやしき》調査』」

太宰が笑顔《えがお》でさらりと云った言葉に、俺は顔を顰《しか》めた。

昨日、俺宛《あて》の電子書面《メール》で、依頼の文書が届いた。文面は、こうだ。

謹啓《きんけい》

武装探偵社ご一同様におかれましては、益々《ますます》ご健勝のこととお慶《よろこ》び申し上げます。

此度《このたび》は武装探偵社様に折り入って御願《おねが》いの段あり、ご多忙中《たぼうちゅう》とは存じますが、筆を執《と》らせて頂きました。

実を申しますと、在る建物にて夜な夜な生ずる怪奇《かいき》に就いて、調査を御願いしたいので御座《ござ》います。

誰も利用する筈《はず》のない建造物に、夜毎《よごと》に不気味な呻《うめ》き声、囁《ささや》き音など聞こえ、また窓には仄明《ほのあ》かりがちらつくなどあり、近隣《きんりん》に住む愚生《ぐせい》らの心安まる暇《ひま》も御座いません。

不躾《ぶしつけ》な御願いかと存じますが、誰ぞの悪戯《いたずら》か否《いな》か、悪戯であればその理由、方法の御解明など頂ければ誠《まこと》に幸甚《こうじん》の至りで御座います。

僅《わず》か許《ばか》りで御座いますが、別途《べっと》依頼料《いらい》を届けさせて頂きました。御査収頂きたく存じます。

尚《なお》、今回の依頼内容に就《つ》いては秘密遵守《じゅんしゅ》を御願いしたく、誠に勝手乍《なが》ら宜《よろ》しく御願い申し上げます。

末筆ながら、皆様《みなさま》のご健康とご多幸をお祈《いの》り申し上げます。

敬白

実に回り諄《くど》い、持って回った文面だが、要するに『近所の建物から怪《あや》しい声や音がするので調べて呉《く》れ』と云《い》う事らしい。

この文面が届いた直《す》ぐ後、書留で依頼料が探偵社に届いた。中を検《あらた》めると、予定経費を差し引いても相場依頼料の倍ほどが入っていた。

となれば、断る理由など無い。通常通り調査はする。

だが——懸念《けねん》がひとつ。

依頼人の名が無い。

依頼人が誰なのか、何処《どこ》に住み連絡《れんらく》は如何《いか》なる方法で行うのか。これではそれが全く判然としない。或《ある》いは意図的に隠《かく》したのかも知れないが、これでは調査結果報告も出来ん。

そこで俺と太宰とは、連れ立って先に『依頼人捜《さが》し』に向かう羽目に陥《おちい》った。

「ひょっとして、依頼人も怨《うら》める悪霊《あくりょう》だったりして。それで騙《だま》された私たち探偵を、幽霊屋敷で待ち構えてパックリひと呑《の》みに——」

「愚《おろ》か者め。幽霊が電子書面《メール》を出すなどと云う怪談《かいだん》が世にあるものか」

尤《もっと》も、幽霊が相手だったとしても俺は怖《こわ》くないがな。

無駄《むだ》話をし乍《なが》ら俺達が向かったのは、港の倉庫街だ。赤茶けた煉瓦造《れんがづくり》の倉庫の群《むれ》が、月光を撥《は》ね返して闇夜《やみよ》に茫《ぼう》と浮《う》かんで居る。

俺達はその一つ、余所《よそ》よりも一回り小さく古い倉庫に足を踏《ふ》み入れた。

天井《てんじょう》が高く、壁《かべ》の漆喰《しっくい》は潮風に侵《おか》され剝《は》がれている。保管されている機械部品の鉄と機械油の臭《にお》い、そして古い埃《ほこり》と時間の臭いを嗅《か》ぎながら、事務室の呼鈴《よびりん》を押す。

鉄を叩《たた》くような搦動《しゅうどう》の音が響《ひび》き、電子錠《でんしじょう》が解除された。

「入ンな」

果《は》たして、室内より甲高《かんだか》い答《いら》えの声があった。

幾《いく》つもの遠隔《えんかく》錠前が施《ほどこ》された重い樺製《かばせい》の戸を潜《くぐ》り、室内に入る。

室《へや》は二十畳《じょう》に少し足りぬ程度。壁に床《ゆか》に電子機材が積み上げられ、光電素子《ダイオード》の明滅《めいめつ》が薄暗《うすぐら》い室内を照らして居た。

部屋の奥中央には電算筐体《コンピュータ》の群が立ち並び、野良犬《のらいぬ》の唸《うな》りの如《ごと》き冷却扇《ファン》の音を響かせて居た。机上《きじょう》に四枚ある液晶板《えきしょうばん》に、それぞれ別個の画面が青白く光る。

「イヨオ眼鏡《メガネ》。今日も手帳の言成《いいなり》かい？」

「偉《えら》そうな口を利《き》くなよ情報屋。社にある証拠《しょうこ》品を然《しか》るべき筋に回せば、お前は十年獄舎《ごくしゃ》暮らしだ。そうなればお前の亡《な》き御父上《おちちうえ》が泣くぞ」

「父上の話は出すんじゃねエよ」

机に両脚《りょうあし》を載《の》せてふんぞり返る情報屋は、十四歳の少年だった。

散切《ざんぎ》り頭に大きい眼《め》。夏でも冬でも、一張羅《いっちょうら》の白い編上衣《セーター》を着ている。躰《からだ》は小さいが、眼光は爆《は》ぜた硝子《ガラス》のように鋭《するど》い。

「それより遅刻《ちこく》だぜ？　珍《めずら》しいじゃんか。何、コレと逢引《デート》？」少年が小指を立てて若気《にやけ》る。

「断じて違《ちが》う。逢引《デート》とは結婚《けっこん》を決めた女性とするものだ。そして結婚予定は六年後と、手帳の『将来設計』の頁《ページ》に書いて在る」手帳を繰《く》りながら、俺は答えた。

「何だ。眼鏡《メガネ》、結婚決めてる女が居んの？」

「それが出来るのは四年後の予定だ」

「あ、そう……」

俺が手帳を繰りながら真面目《まじめ》に答えると、少年は目を丸くして顎《あご》を落とした。

「理想と計画に生きる、それが大人だ。見習え少年」

「うん……国木田君のキャラは大体判《わか》ったけど、今のはちょっとアレだよね……」

背後から、木戸を潜って太宰が現れる。

「あれ、新顔。誰？」

「やあ。名乗っても勿論《もちろん》良いのだけれど、次に国木田君が云う台詞《せりふ》があるから無理」

「少年、人に名を尋《たず》ねる前には自ら名乗るべきだ。あと太宰、許可なく俺の言動を先読みするな」

「眼鏡《メガネ》はつくづく『べき』って言葉が好きだな……まアいいや。己等《オイラ》は田口六蔵《ろくぞう》。十四歳。職業は電網潜士《でんもうせんし》」

「探偵《たんてい》社に電網破《ハッキング》りを仕掛《しか》けて露見《ろけん》し、俺に投げ飛ばされた阿呆《あほう》だ」俺は丁寧《ていねい》に注釈《ちゅうしゃく》を加えて遣《や》った。

「良いだろ、もうその時の話は。なあ、好《い》い加減あん時の通信記録渡《わた》せよ」

六蔵少年は三月前《みつきまえ》、武装探偵社の情報記録素子に外部から電網攻撃を仕掛け、探偵社を混乱に陥《おとしい》れた過去が有った。無論、探偵社が電脳方面の備えを怠《おこた》る筈がない。混乱が収まると直ちに逆探知を行い、此所《ここ》を突《つ》き止めた。

結局六蔵少年は俺にしこたま締《し》め上げられ、犯罪の証拠たる通信記録を軍警に渡さぬことを条件に、情報屋として協力すると云う友好的協力条件を呑んでいる訳だ。

「それで、事前に渡した電子書面《メール》の送り主は判ったか？」

「人遣《ひとづか》いが荒《あら》いぜ眼鏡《メガネ》。先刻《さつき》の今で出来る訳ねエだろ。も少し待てよ」

少年には件《くだん》の、名も知れん依頼《いらい》人の居所調査を依頼して在る。電子書面《メール》の逆探査は、六蔵少年の技術からすればさほど難しい案件では無かろう。

「それでなくともアンタの別件依頼——『失踪《しっそう》者の足取り追跡《ついせき》』で忙《いそが》しいんだ。そっちが先だろ？」

「そうだな」俺は肯《がえ》んじる。

——『横浜来訪者連続失踪事件』。

一見何の関連もない被害者《ひがいしゃ》が、或《あ》る日ふらりと居なくなり、そのまま戻《もど》らないと云う失踪事件だ。失踪者の数、実に十一名。

捜査《そうさ》本部が出来て早一月《はやひとつき》。被害者同士の共通点は僅《わず》かに、横浜の外の人間であるという点、自らの足で歩いて姿を消しているという点しかない。解決の糸口すら摑《つか》めぬ難事件である。

六蔵少年に課した依頼は、被害者の失踪直前の行動記録追跡《ログ》である。鉄道の乗車記録やタクシーの記録などから被害者の足取り調査を依頼したのだが、首尾《しゅび》は芳《かんば》しくないようだ。

「何その事件。初耳だなあ。詳《くわ》しく教えてよ」

太宰が興味を示し、首を突っ込んでくる。

「後できちんと話す」

だが俺は軽くあしらい、話題を拒否《きょひ》した。

無論理由あっての事である。俺はこの連続失踪事件の解決を、太宰の『入社試験』に充《あ》てようと目論《もくろ》んでいる。情報は時機を正しく見て開示したい。

「ふゥん、新人教育って訳か。眼鏡《メガネ》も出世したなァ」

「これが中々頑固《がんこ》な上司でね、困っちゃうよ。──あそうだ、六蔵少年だっけ？　君、電網破《ハッカ》りなんでしょ？　何か無いかなあ、国木田君の弱みとか、見られると困る秘匿《ひとく》写真とか」

「おい太宰！　人の前で堂々と脅迫《きょうはく》の算段をするな！」

「おっ、話が判るね新人。千円、壱《いち》万円、十万円。どのコースが良い？」

「そんなにあるのか!?」

待て、待て待て。落ち着け。

「巫山戯《ふざけ》るな、俺に弱みなど無い。餓鬼《ガキ》が吹《ふ》いているだけだ、太宰、相手にするな」

「……ふうん」含《ふく》みの在る視線を俺に向ける太宰。

「信じないなら良いぜ別に。信じた客に売るだけさ。ただ、眼鏡《メガネ》が先に金払《はら》うッつうんなら、証拠資料を削除《さくじょ》しても良いけどなァ」

「誰《だれ》が払うか。俺に見られて困る情報など無い! 行くぞ太宰!」

太宰の襟首《えりくび》を引っ張りながら、入口の木戸を足早に潜り、少年の室《へや》を後にした。

……十壱万壱千円《じゅういちまんいっせんえん》か……。

○　○　○

夜の倉庫街に人影《ひとかげ》は無い。

倉庫街通《そうこがいどおり》の路上で、俺と太宰は二人、連絡《れんらく》したタクシーが来るのを待って居た。

行き交《か》う車輛《しゃりょう》の燈が長い尾《お》を曳《ひ》いて流れて往《ゆ》く。黄色い影。銀色の帯《リボン》。紅《あか》く光り散乱する制《ブレ》動燈《ーキランプ》。白く広がる前方燈《ぜんぽうとう》が建物の影を切り取る。車輌の窓硝子《まどガラス》に反射した常夜燈が、液体のように眼前を流れ去る。

海風は強く雲を送りまた払い、月光は港湾《こうわん》街に黒と白の影を落とす。

「愉快《ゆかい》な子だったねえ」笑顔《えがお》の太宰が夜空を見たまま云《い》う。

「奴《やつ》をお前と引き合わせたのは失敗だった。碌《ろく》な事にならんと先に気付くべきだった」

「センパイ、一つ質問して良い？」

「何だ」

「何故《なぜ》、六蔵少年の面倒《めんどう》を見てるの？」

太宰を見ると、その表情は真剣《しんけん》だった。

「彼に仕事を出すのは何故かな。失踪者の足跡《あしあと》なんて探偵社でも追えるでしょう。今回も電話で済む話なのに足を運んでるし」

俺は黙《だま》った。容易には答え難《がた》い問いだ。

「ちらっと話に出ていた、彼の御父上《おちちうえ》と関係があるのかな？」

思わず太宰を見る。

「中《あた》りだね」俺の表情を見て、太宰は笑う。

「……六蔵の父親は優秀《ゆうしゅう》な警官だった。だが死んだ」

仕方なく、俺は語り始めた。

「嘗《かつ》て、探偵社は警察と協力し、ある犯罪者を追っていた。大物の犯罪者で、国や企業《きぎょう》の施設《しせつ》を幾《いく》つも破壊《はかい》した凶悪犯《きょうあく》だ。警察の必死の追跡にも拘《かかわ》らず、奴の居所はまるで掴めなかった」

「それって——《蒼色旗《そうしょくき》の反乱者《テロリスト》》事件？」

「そうだ」

軍、警察を巻き込み、本邦《ほんぽう》を揺《ゆ》るがす大騒動《だいそうどう》に発展した凶悪事件だ。

「俺達探偵社は追跡の末、竟《つい》に奴の潜窟《アジト》を見つけ出す事に成功し、市警に報告した」

「大手柄《おおてがら》じゃない」太宰が感心する。

「ああ、確かにそうだ。だが当時のあの事件は軍、公安、市警が合同で動いており、指揮系統が入り交じって混乱していた。さらに悪い事に、犯人はこちらの動きに勘付《かんづ》き、潜窟《アジト》に立て籠《こ》もった。大量の高性能爆薬《ハイエクスプロオシブ》を抱《かか》えて」

記憶《きおく》が蘇《よみがえ》る。電話口の市警の怒号《どごう》。捕縛《ほばく》せよ。待機せよ。飛び交う矛盾《むじゅん》した指令。

「混乱した指示の所為《せい》で、素早《すばや》く現場に駆《か》けつけたのは現場刑事《けいじ》が僅かに五名。彼等《かれら》に出された指令は速《すみ》やかな突入《とつにゅう》と制圧。……だが世間を震撼《しんかん》させた凶悪犯《蒼王《あおおう》》を相手に、特殊《とくしゅ》部隊でも異能者でもない五名に何が出来る？」

しかし、現場の人間は全体を把握《はあく》出来ない。上に突入と云われれば、そうするしかないのだ。

「結果、犯人は追い詰《つ》められ、爆弾《ばくだん》に点火し爆死した。犯人も五名の刑事も、全員死亡」

「——その亡《な》くなった警官の一人が、六蔵少年の父親なんだね？」

「六蔵少年は早くに母親を亡くし、父親と二人暮らしだった。警官である父を尊敬していたそうだ」

　俺は拳《こぶし》を握《にぎ》りしめる。

「その時、市警へ潜窟《アジト》発見の報を入れたのが、俺だ」

あの時、より上位の指令系統に連絡《れんらく》していれば。或《あ》いは、探偵《たんてい》社が共に突入していれば。

「俺が殺したようなものだ」

「違《ちが》うよ。どう考えたって指示を出した市警の上層部、さらに云えば自爆《じばく》した犯人が悪い」

「そうかも知れん。だが少年の意見は違うだろう。でなければ、探偵社に復讐《ふくしゅう》紛《まが》いの電網破《ハッキング》りを仕《し》掛《か》けたりはせん」

　恐《おそ》らく六蔵少年は探偵社を恨《うら》んでいるだろう。面と向かって確かめたことはない。だが——

「六蔵少年の父親はもう居ない。それだけが事実だ。誰かが父親の代わりに奴を見守り、時には拳骨《げんこつ》を落としてやらねばならん。俺には偶々《たまたま》それが出来る。ならば好都合だ」

「国木田君はロマンチストだねえ」太宰が溜息《ためいき》にも似た苦笑《くしょう》を漏《も》らした。

　俺は自分をロマンチストと思った事は無いし、浪漫《ロマン》の何たるかも殆《ほとん》ど理解して居ない。

だが俺の知己《ちき》たる人々は皆《みな》、口を揃《そろ》えて『お前はロマンチストだ』と云う。理由は良く判《わか》らん。

この世は理想通りにならん事ばかりだと云うのに。

考えている内に眼前でタクシーが一台停《と》まる。運転手が手を振《ふ》る。

○　○　○

タクシーの運転手に就《つ》いて、人々は心中に様々な知見《ちけん》を有《ゆう》している。

清潔たれ、実直たれ、いや裏道迂回《うかい》路の類《たぐい》を悉知《しっち》した街路の達人たれ、或いは運転技術に長《た》けた技術者たれ、笑顔爽《さわ》やかなる好青年たれ、いやいや乗客の料金《メーター》を一番に考える節約者たれ。

各々《おのおの》の主張は至極尤《しごくもっと》もであり、他者が異《い》を差《さ》し挟《はさ》む余地などない。

因《ちな》みに、俺のタクシー運転手に対する願望は唯《ただ》一つである。

「いやーお久し振《ぶ》りですね国木田調査員。本日はお日柄《ひがら》も良く絶好の探偵日和《びより》でございますね、今日も眼鏡似合ってますね、僕も運転手の仕事を続けてますとね、お客様の眼鏡の善《よ》し悪《あ》しが判ってくるんでございますよ。気品と云いますか、生《うま》れの良さと云いますか。国木田調査員の眼鏡はとても善い眼鏡だ！　保証いたしますよ、ええ」

「頼《たの》むから少し黙って運転しろ」

第一、何を以《もっ》て眼鏡の生《うま》れの良さを判断するのか。馬鹿馬鹿《ばかばか》しい。——少し知りたいが。

「タクシーの運転手は無口に限る。客にそう云われたことは無いか？」

「いいえ、云われませんねえ。と云うより、運転中お客様が発言されたことがありません。僕が喋《しゃべ》るので」

このタクシーを巷間《こうかん》で何と表現するか俺は知っている。地雷《じらい》、だ。

俺と太宰は、前もって連絡《れんらく》しておいたタクシーに乗って、依頼《いらい》の調査場所へ向かって居た。車窓から見える闇中《あんちゅう》に市街の輝《かがや》きは既《すで》に無く、疎《まば》らな林影《りんえい》が濁《にご》った月明《げつめい》を掃《は》いて後方へと流れてゆく。

無論、不幸にも地雷タクシーに乗り合わせて了《しま》った訳ではない。態々《わざわざ》呼び寄せたのだ。何故か。

聞き込みを行う為だ。

「太宰、先程《さきほど》少し話した『横浜来訪者連続失踪《しっそう》事件』を憶《おぼ》えているか」

「ああ、六蔵少年が調べてる奴？」

「ああ。被害者《ひがいしゃ》は十一人。その内二人を失踪直前に目撃《もくげき》したのが、この運転手だ」

俺は眼前の小柄《こがら》な運転手を指で示した。

「目撃って云っても、港から宿泊亭《ホテル》まで乗せただけですけどね。お一方《ひとかた》は旅行の女性、もう一方《ひとかた》は業務《ビジネス》出張の男性でしたね」

「この写真の人物で間違《まちが》い無いか」

俺は懐《ふところ》から数枚の写真を出した。孰《いず》れも宿泊亭《ホテル》の監視《かんし》映像で確認《かくにん》された、失踪者の写真だ。建物に入る姿、帳場で手続きをする姿、翌日宿泊亭《ホテル》を出る時の姿と、三種類ある。

「ええ、この方達で間違い在りませんよ。服装も写真の通りでした。僕がこの宿泊亭《ホテル》までお乗せしたんです」

「オーケイ、それで国木田君、何時《いつ》になったら私はその失踪事件とやらの内容を教えて貰《もら》えるのかな?」

「……善《い》いだろう」

俺はその場で、事件の略説《あらまし》を説明し始めた。

約一ヶ月前、出張で横浜を訪《おとず》れていた四十二歳の男が突如《とつじょ》消えた。足跡《あしあと》を追うと、港から宿泊亭《ホテル》にチェックインし宿泊、翌日に街へ出た事までは判明した。だが男が仕事の会合に現れることは無く、家に戻《もど》る事も無かった。宿泊部屋に荷物を残したまま、自らの足で何処《どこ》かへと消えたのだ。

他《ほか》の失踪者もほぼ同じ状況《じょうきょう》で、単身の旅行者、展示会の参加者など合計十一名。失踪者に年《ねん》齢《れい》、居住地、職業の共通点は無く、単独で横浜を訪れていたと云《い》う点のみが類同《るいどう》して居る。宿泊亭《ホテル》より後の足跡を追うべく市中の聞き込みを市警が行っているが、目撃情報は皆無《かいむ》。煙《けむり》か霞《かすみ》の如《ごと》く、忽然《こつぜん》と消失した事になる。

市警が最も可能性として強く見ているのは、誘拐《ゆうかい》。しかしこの大都会で、目撃者も無しに人ひとり攫《さら》えるような場所などそう存在しない。また家族に身代金《みのしろきん》等の脅迫《きょうはく》はなく、誘拐だとしても目的が不明だ。

「目的ならあるじゃない」

そこまで黙《だま》って聞いていた太宰が、そこで明るい声を出した。

「〝出荷《しゅっか》〟だよ」

「何？」

「だから、誘拐して売るのさ。聞く限り失踪者は健康な成人でしょ？　心臓、腎臓《じんぞう》、角膜《かくまく》、肺、肝臓《かんぞう》、膵臓《すいぞう》、骨髄《こつずい》——まあ海外市場で売るから日本円で凄《すご》い値がつく訳じゃないけど、それでも十一人の人体なら宝の山さ。単独犯なら一財産だ」

「確かに、裏社会ではそう云う闇流通が在ると聞くが——いやに詳《くわ》しいな」

一般人《いっぱん》がそうした知識と接するのは、精々《せいぜい》が映画や創作噺《ばなし》の中だけだと思うが。

「いやなにね、場末《ばすえ》の飲み屋で、酒の肴《さかな》にそんな話を聴《き》いたってだけさ」

胡散臭《うさんくさ》い説明だ。言い訳めいている。

まあ、この男は全身を構成する物質全《すべ》てが胡散臭いが。

「……ならば失踪者は、自ら臓器調達人《バイヤー》の元を訪れたと云うのか？『私の臓器を購《か》って下さい』と？　態々《わざわざ》出張や旅行の最中《さなか》に？」

「そうだね、ちょっと不自然かな。となるとやっぱり臓器売買じゃなくって、事情があって姿を消したかった。それで失踪専門の斡旋《あっせん》業者に依頼して新しい名前と戸籍《こせき》を貰ってからドロンと消えた、とか」

「それでも斡旋業者に会う為《ため》自ら街を移動すれば、目撃されるなり監視映像に残るなりするだろう」

「業者に変装の達人が居るんじゃない？」

「そういえば在るって聞きますよねえ、僕聞いた事ありますよ、撮影《さつえい》業界なんかで男性でもまるきり女性に化けられる技術が在るとか。何でも先《ま》ず真綿を頰《ほお》の内側に詰《つ》めて顔の輪郭《りんかく》を変えてから——」

「お前の話は聞いてない」長話に発展しそうだった運転手の台詞《せりふ》を素早《すばや》く遮《さえぎ》る。

「あ、閃《ひらめ》いた。見てこの写真、二人とも眼鏡してるじゃない。共通点が見付かった！　つまりこれは、『眼鏡連続失踪事件』だ！」

写真を見る。確かに映像の被害者は眼鏡を掛《か》けている。黒縁《くろぶち》と銀縁《ぎんぶち》。

「よし国木田君、出番だよ！」

「何の出番だ。それに他《ほか》の九人の中には眼鏡をして居ない者も何人か居たぞ。共通点とは云えん」

俺の記憶《きおく》では、九人の内眼鏡は四名、遮光硝子《サングラス》が二名、残り三名は何も掛けて居なかった。

「ちぇっ。……それじゃあ仕方ない、別の方法で国木田君を囮《おとり》にしようか。犯人の標的は旅行者だよね。じゃあ国木田君には、ゴム長靴《ながぐつ》に背嚢《リュック》、赤と緑の格子《こうし》柄《がら》襯衣《シャツ》、登山股引《ニッカボッカ》で横浜の街を歩き回って貰おう。巨大《きょだい》な写真機で通行人を片端《かたはし》から撮《と》りまくり、語尾《ごび》は『ずら』で」

「誰《だれ》がやるか！」

「『誰がやるずら！』」

「そんなもの作戦と呼べるか！　却《きゃっ》」

「『却下《きゃっか》ずら！』」

「先読みするな！」

「えー？　それじゃあ国木田君には裸《はだか》に手品帽《シルクハット》で、一輪車で街路を疾走《しっそう》しながら好きな女性の傾向《タイプ》を叫《さけ》んで貰おう」

「趣旨《しゅし》が変わって居る！」

「ではですね、国木田調査員には道化姿《ピエロ》で読書を」

「お前は黙ってろ！」

ええい、どいつもこいつも！

段々腹が立ってきた。

「太宰！　少しは真剣《しんけん》に働け！　何時《いつ》になったらお前は真面目《まじめ》に仕事をするのだ！」

「ええ、私ずっと真面目なのだけどなあ」

だとしたら余計悪い。

「善いよ、じゃあこうしよう。もう直《す》ぐに、私は清廉《せいれん》なる探偵《たんてい》になると誓《ちか》うよ。地道に調査し、検分し、推理する。上司たる国木田君が舌を巻き、これならば明日から単独で仕事を任せても問題無いな、そう膝《ひざ》を打つような優秀《ゆうしゅう》な男になるよ」

太宰がまくし立てて弁明するが、全く信用ならない。

「もう直《す》ぐとは何時だ」

「このタクシーを降りたら」

ほう。

「本当だな」

「無論さ。自殺主義者に二言は無いよ。……で、その代わりと云っては何なのですが」

見ろ、そう来ると思った。

「何だ。給料を上げろだの、楽な仕事を回せだのはお断りだぞ」

「そんな大層なことじゃないよ。ただちょっと、さっきから興味を惹《ひ》かれるモノが在ってね」

太宰はじーっと、運転手のほうを注視して居る。その眼《め》が好奇心《こうきしん》に輝《かがや》いて居る。

「……運転させて」

○　○　○

「ぎゃあああああああぁぁぁぁ！」

「うーはははははははー！　私は風!!」

「待っ、太宰、お前止めっ、頼、ぬわあああおぉっ！」

「うぎぃあああ――――!!」

「オロロロロロロロロ」

○　○　○

「お前にはっ……二度と、運転させん……！」

ドアを開き、太宰は颯爽《さっそう》と、俺は転がり落ちるようにタクシーから降車した。

運転手に至っては助手席で伸《の》びている。一晩目覚めることは無かろう。

「何、酔《よ》ったの？　だらしないねえ」

太宰の発言に軽い殺意を覚える。

これを車酔《くるまよ》いとは呼ばん。足腰《あしこし》が震《ふる》えて立てん。平衡《へいこう》感覚が無い。生誕直後の草食動物の如《ごと》く両手両足をついて震えながら立つのがやっとである。

過酷《かこく》な武道鍛錬《たんれん》でも此程《これほど》疲弊《へい》したことはない。

「さて、早速《さっそく》仕事と参りましょう！　先程約束したからね、サクサク行くよ！」

少し休ませろ、とは先程説教した手前云《い》い辛《づら》い。

「依頼《いらい》の住所はすぐそこだね。……処《ところ》で、国木田君って幽霊《ゆうれい》とか狐《こ》狸《り》妖怪《ようかい》の類《たぐい》は平気？」

「幽霊？……そんなモノを怖《こわ》がって武装探偵社が務まるか。いかな魑魅魍魎《ちみもうりょう》より、刃物《はもの》と銃火《じゅうか》の方が脅威《きょうい》に決まって居るだろうが」

「それは善《よ》かった。何しろ今回の調査場所は、あそこのようだから」

太宰の指し示す方角に目を移す。

そこに在ったのは山奥に佇《たたず》む、崩壊《ほうかい》した黒い建造物。

闇《やみ》を煮染《にし》め、死と朽壊《きゅうかい》の気配も濃厚《のうこう》な、打ち棄《す》てられし廃《はい》病院の怪容《かいよう》であった。

○　○　○

何故《なぜ》。

何故この様な深夜に調査を行《おこな》って了《しま》ったのか。

人は生きる限り必ず病《や》む。無謬《むびゅう》の精神が存在しないように、無病《むびょう》の身体《しんたい》も存在しない。その証左《しょうさ》に、人は皆《みな》病院より生まれ病院にて没《ぼっ》する。病院とは謂《い》わば、此岸《しがん》と彼岸《ひがん》、死者の世界と生者の世界との境界《あわい》である。

それが見放され朽《く》ち果てた廃病院となれば、尚更《なおさら》の不気味さだ。割れた窓より忍《しの》び込む月光に照らされて、瓦礫《がれき》に落ちる影《かげ》は幽玄《ゆうげん》の青、床《ゆか》に淀《よど》む水溜《みずたま》りは虚血《きょけつ》の紫《むらさき》である。

前庭に咲《さ》く彼岸花ばかりが毒々しく朱《あか》い。

「暗い……何も見えん」

「それがまた好《い》い感じじゃない」

廃病院の廊下《ろうか》を摺《す》り足で歩く俺の横を、軽い足取りで太宰が追い抜《ぬ》いて行く。

壁《かべ》は腐敗《ふはい》し崩《くず》れ、配線は朽ち果て天井《てんじょう》より垂れ下がる。窓枠《まどわく》は外れ、備品はあらかた盗《ぬす》まれ、病室は虫螻《むしけら》の住処《すみか》と成り果てている。

一体、この様な廃墟《はいきょ》に、誰が好んで這入《はい》ろうと云うのか。

「依頼人の願いは、ここで夜毎《よごと》繰り返される音と光の正体を解明する事だ。何が出るか判《わか》らん。警戒《けいかい》するぞ」

「うん……勿論《もちろん》判ってるけど、国木田君、警戒しすぎじゃない？」

俺は太宰を睨《にら》んだ。

「何を云う。敵を決め付け、過小評価する事こそ愚者《ぐしゃ》の蛮行《ばんこう》。探偵社の一員たる者、常に最悪を想定して動くと知れ」

俺は慎重《しんちょう》に慎重を重ね、背を低くし、不意の襲撃《しゅうげき》に備えるべく構えて廊下を進む。

「ひょっとしてビビってる？」

「びびびビビってなど居ない！阿呆《あほう》か！」

「じゃあ疾《はや》く行こうよ」

「愚《おろ》か者め、此《こ》の手の映画では、調子に乗って軽率《けいそつ》な行動を取る者から先に犠牲《ぎせい》になるのだ」

「此《こ》の手の映画って何」

「良いから先に往《ゆ》け。俺は後方を警戒する」

「それって先に行きたくないだけじゃ……あそうだ、暗いから駄目《だめ》なんだよ、照明《ライト》で照らせば」

それは既《すで》に考えた。灯《あか》りに頼《たよ》りたいのは山々《やまやま》だ。だが……。

「病院に何者かが居た場合、我々の照明に気付いて逃《に》げる懼《おそ》れがある。月光を頼りに進むぞ」

「ふうん」

闇中《あんちゅう》を二人して進む。颶風《ぐふう》に建物が軋《きし》む。何処《どこ》かで水滴《すいてき》の落ちる音がする。

廃病院の周囲の土地には民家どころか建物ひとつ無く、ただ渺茫《びょうぼう》たる林と山野《さんや》が広がるばかりである。吹《ふ》き荒《すさ》ぶ風に煽《あお》られて黒い木々の隊列がざわざわと啼《な》く。

依頼人の文面を思い出す。何が『近隣《きんりん》に住む』だ。この建物は周囲数粁《キロ》に及《およ》んで迚《とて》も人の立ち入るような処《ところ》ではない。近隣に住まうのは狐《きつね》か熊《くま》ばかりといった風情《ふぜい》だ。

——では依頼人は、一体何者なのか。

——依頼人の名が無い。

——ひょっとして、依頼人も怨《うら》める悪霊《あくりょう》だったりして。

太宰の言葉が蘇《よみがえ》る。

前方後方、悉《ことごと》く闇ばかりで何も見えん。建物の隙間《すきま》に迷い込んだ風なき風が鳴るのがまるで女の哭《な》き声だ。

…………。

霊《れい》など信じん。俺は代数学の講師であり、化学《ばけがく》・物理学も修めて居る理学の徒《と》だ。怨霊《おんりょう》が形を取り生者に徒《あだ》なすなど、暗所に対する恐怖《きょうふ》心が創《つく》り出した妄想《もうそう》だ。

…………。

怖くない。俺は震えてなどいないぞ。泣いてもいない。

「出たァッ！」

ぎゃあああああ！

突然《とつぜん》前方で叫《さけ》んだ太宰の声に心臓が飛び上がる。

太宰は振《ふ》り返り、大きく口をあけたまま俺を見て、俺の表情を確認《かくにん》し、ゆっくりと、しかし深く、にやあっと笑った。

こいつは……！

「馘首《クビ》にするぞ!?」

「いやあ、国木田君があんまりに緊張《きんちょう》しているようだったから、気紛《きまぎ》らわしにね」

「もうお前など知らん！」

太宰を押し退《の》け、さっさと先に進む。

くそ、暗い。何も見えん。何も見えんから、その闇に何か居るのではないかと錯覚《さっかく》してしまう。

闇影《やみかげ》に眼《め》が、虚空《こくう》に吐息《といき》があるのではと勘繰《かんぐ》ってしまう。

暗い。

暗い。

もう駄目だ。

「『独歩吟客《どっぽぎんかく》』——懐中電灯《かいちゅうでんとう》ォォォ!!」

明るくなった。

○

○

○

廃病院内部を調べて回った結果、確かに人の這入ったような気配が幾《いく》つか有った。何か車輪付きの荷を引き摺った跡《あと》。革靴《かわぐつ》の足跡《あしあと》。服の糸屑《いとくず》。ただそれが、毎夜忍《しの》び込んでいる犯罪者の形跡《けいせき》なのか、あるいは唯《ただ》の火事場強盗《ごうとう》の跡なのかは、判然としなかった。

異能力で顕現《けんげん》させた小型の懐中電灯で照らせば視界は確保される。だが病院にのし掛《か》かる濃《こ》い射干玉《ぬばたま》の闇《やみ》が払《はら》われる訳ではない。

文字通り一寸先は闇、前方を照らせば足下《あしもと》は闇大海《やみわだ》に没し、足下を照らせば前方は暗黒の洞《ほら》である。おっかなびっくり進んでも、捜査《そうさ》を進展させる様なモノは何もない。

「これはイタズラだね。帰ろう」とうとう太宰が飽《あ》きて踵《きびす》を返した。

「おい待て、『地道に調査し、検分し、推理する』は如何《どう》した。この程度で音を上げて探偵《たんてい》が務まるか。もっと証拠《しょうこ》を——」

「必要ないよ。これ見て」

太宰が摘《つ》まみ上げたのは、暗色の細引《コード》だった。両端《りょうたん》が床に埋《う》まって消えている。——否《いや》。

「それは——配線か？」

だとすれば、かなり新しい。時経《へ》て朽ちた病院の内装電線とは明らかに異なる。恐らく数ヶ月内に設置されたモノだろう。

「この配線を辿《たど》ると——」

に辿り着く。

太宰が配線を手繰《たぐ》り、その端《はし》を追った。巧《たく》みに隠《かく》され埋め込まれては居るが、竟《つい》にその一端《いったん》に辿り着く。

太宰が持ち上げたそれは、

「これ……撮影機《さつえいき》だね。誰《だれ》かがこっそり設置したんだ。きっと此所《ここ》だけじゃあない。やれやれ、依頼人《いらいにん》は偽《にせ》の依頼で呼びつけて、お化《バ》けに怯《おび》えた国木田君が泣くのを盗撮《とうさつ》してた訳だ。悪い奴《やつ》だね」

「お、俺は泣いてない！」

「そうだよねえ。こんな暗いだけの廃墟で怯えるなんて、小学生でも有り得ないよねえ」

「…………」

「大体病院の幽霊《ゆうれい》なんて、居てもきっと気概《きがい》がないよ。病死でしょう？　事故死だったら事故現場に憑《つ》く筈《はず》だもんね。そんな霊、人を取り殺す程《ほど》の根性《こんじょう》もないよ。悪くても精々《せいぜい》が未練とか悔恨《かいこん》さ。『死にたくなかったなぁ』とかね。ああやだやだ、折角《せっかく》死ねたのに何を贅沢《ぜいたく》な」

「太宰……おい、まあその、そのへんで……」

お……怨霊が聞いて居たら如何《どう》するのだ。

「せめてさ、生者を怨むのならこう、痩《や》せさらばえた肺病病《はいびょうや》みの女とかじゃないと。濡《ぬ》れ髪《がみ》振《ふ》り乱して怨みを込めて、『あな怨めしや、生者羨《うらや》ましや、此《こ》の暗き淵《ふち》より救うてたもれェエ、此の苦しみより救い出してたもれェェェ、嗚呼《ああ》苦し、血が、骨が、肉が、腑《はらわた》が、ア、ア、ァァァ』」

「助けてえええええっ!!」

突如《とつじょ》響《ひび》いた女性の甲高《かんだか》い叫びに、心臓をげろんと吐《は》き出す程驚《おどろ》いた。
だが一瞬《いっしゅん》の後、冷水を浴びせられたようにはっとする。

今の悲鳴、生きた人間のものだ。

「今の声は……」

「こっちだ！ 急げ！」

太宰を待たず、朽《く》ちた廊下《ろうか》を駆《か》け出す。
最短で階《きざはし》を下り、廊下を渡《わた》る。瓦礫《がれき》を蹴立《けた》てて悲鳴のした方角へ奔《はし》る。
辿り着いたのは地下区域だ。剝《は》がれた天井《てんじょう》に朽ちた廊下。給湯室、医薬管理室、放射線撮影室に霊安室《れいあんしつ》が並ぶ。

声を追って、旧《ふる》い給湯室に飛び込む。

居た！

広い衣類洗浄《せんじょう》用の水槽《すいそう》の水面から、女性の右手が突《つ》き出て必死に藻掻《もが》いている！

急ぎ駆け寄って水中を覗《のぞ》くと、水底に肌着《はだぎ》姿の若い女性。片腕《かたうで》に手錠《てじょう》が掛けられ、水底の把《は》手《しゅ》に繋《つな》がれて居る。

手錠の所為《せい》で、水面上に出られないのだ！　これでは溺死《できし》する！

「何だこれは——！」

「この鉄格子《てつごうし》を毀《こわ》さないと！」

太宰が格子を摑《つか》んで叫んだ。衣類洗浄用の水槽には大きな嵌《は》め殺しの鉄格子が蓋《ふた》をしており、女性の脱出《だっしゅつ》を阻《はば》んでいる。

両手で摑んで全力で揺《ゆ》する。錠でも掛けられているのか、迚《とて》も膂力《りょりょく》で外れそうにない。

水中の女性と目が合う。鳶色《とびいろ》の瞳《ひとみ》。限界まで見開かれたその瞳が強く訴《うった》えかける。

助けて。

「今助ける！　水槽の端に寄れ！」

手を振って動きを指示する。気付いたのか、女性が背中を水槽の壁《かべ》につけて身を縮めた。

俺は腰《こし》から拳銃《けんじゅう》を取り出す。安全装置《セイフティ》を外し、水槽の外壁《がいへき》に向けて構える。

「下がってろ太宰！」

中の女性に跳弾《ちょうだん》が飛ばぬよう角度をつけて、外壁に三発撃《う》つ！

撃ち込まれた水槽の壁には穿孔痕《せんこうこん》と亀裂《きれつ》が刻まれた。壁に罅《ひび》が入り、内部の水が溢《あふ》れる。

その罅に向かって、全身を旋回《せんかい》させた回し蹴《げ》りを放つ！

回転力を得た俺の踵《かかと》が外壁に突き刺《さ》さり陶器《とうき》とモルタルの壁素材を一撃《いちげき》で破砕《はさい》。大穴が穿《うが》たれ、大量の水が溢れ出る。

「げほ……げほげほっ！」

大穴から水が噴出《ふんしゅつ》し、漸《よう》く水位が顔より下になった女性が、貪《むさぼ》るように呼吸を再開する。何とか間に合ったようだ。

太宰が大型の蛇口《じゃぐち》を捻《ひね》り水を止めた。

「大丈夫《だいじょうぶ》か？」俺は格子の中に手巾《ハンカチ》を差し出した。女性が未《いま》だ震《ふる》える指で受け取る。

「誰かが溺《おぼ》れさせようとしたようだけど……犯人を見たかい？」太宰が尋《たず》ねた。

咳《せ》き込み、全身で息をしていた女性が、喉《のど》を詰《つ》まらせ乍《なが》らも漸く声を出した。

「私——誘拐《ゆうかい》されたのです。仕事で横浜を訪《おとず》れた日、急に意識が遠のいて——気が付いたら此所《こ》に」

俺と太宰は顔を見合わせた。

○　○　○

太宰と協力して鉄格子と手錠を毀《こわ》し、女性を救助した。鉄格子は円筒錠《シリンダーじょう》で三重《さんじゅう》に施錠《せじょう》されていた為《ため》、已《や》むなく拳銃の尻《しり》で叩《たた》き毀した。

「佐々城《ささき》信子《のぶこ》と申します。東京の大學《だいがく》で教鞭《きょうべん》を執《と》っております。横浜を訪れた折、ふと気が遠くなりまして……気がつくと此所に」

しとどに濡れ青い顔をした佐々城女史《じょし》は、それでも気丈《きじょう》に状況《じょうきょう》を説明した。

「佐々城さん。貴女《あなた》が意識が遠のき誘拐されたと云《い》うのは、何日前か判《わか》るかい？」

「申し訳ありません……気を失っておりまして詳《くわ》しくは……ただ躰《からだ》や空腹の具合からして、二、三日以上は経っていないかと思いますが……」

横浜連続失踪《しっそう》事件の被害者《ひがいしゃ》が姿を消したのは三十五日から七日前の間。女史の言葉が正しければ、十二人目の被害者である可能性が高い。

「…………」

太宰は先刻《さっき》から黙《だま》りこくって腕《うで》を組み、頻《しき》りに何かを考えて居る。

佐々城女史は長い黒髪《くろかみ》の、やや痩せた女性だ。年齢《ねんれい》は俺と同じ位だろうか。

彼女の躰は震えていた。誘拐された後に服を奪《うば》われたのか、衣服は極《ごく》わずかな下着と肌着のみ。太宰の外套《がいとう》を借りて羽織っているとは云え、この深夜に肌着のみの半裸《はんら》、それもずぶ濡れの身では震えるのも無理もない。

寒気に震え、自らの腕《かいな》を抱《かか》える手も、床《ゆか》に投げ出された足も、おそろしく細い。肌《はだ》に張り付いた衣服が艶《なま》めかしい曲線を描《えが》いて居る。肌は向こうが透《す》けるのではないかと思えるほど儚《はかな》く白い。

領《うなじ》に張り付いた水髪《みずがみ》が、胸元《むなもと》に雫《しずく》を滴《したた》らせる。何となく、理由も無しに俺は目を逸《そ》らした。

「それよりも、この建物には同様に捕《と》らえられた方が居る筈《はず》です！　声を聞きました」

「何っ」

他《ほか》の失踪者か。彼等もまた誘拐され、この建物内に監禁《かんきん》されて居るのか。

「ご案内します！　こちらへ」女史はふらつきながらも立ち上がり、俺達を案内しようとする。

だが。

「……待て」手を掛《か》けて佐々城女史を止めた。

「太宰。この状況をどう見る」

「佐々城さんの恰好《かっこう》がエロい」太宰が真顔で云った。

「真面目《まじめ》に！」

「……出来過ぎているね」太宰が腕を組んで再び答えた。「私達はこの廃墟《はいきょ》に、謎《なぞ》の声や光を調べに来た筈だよね。なのにもう一つの事件、連続失踪事件の被害者を発見した。この二つは無関係な、別個の事件の筈だ。私達が担当して居ると云う一点を除けば……佐々城さん、犯人を最後に見たのは何時《いつ》？」

「申し訳ありません、姿をきちんと見た事は一度も……ですが、私が気付いた時には水槽の蛇口が捻《ひね》られ、水が顔近くまで貯《た》まっていました。恐《おそ》らく私が目を覚ます五分ほど前に、犯人自らが蛇口を開いたのだと思います」

その時に叫《さけ》んだので、俺達に聞こえたのだ。すれすれの機《タイミング》だった訳だ。

「なら犯人はつい先刻《さっき》まで居た訳だね。我々が近くを歩いて居る事を犯人が気付かなかったとは思えない。では犯人は何故《なぜ》こんな事を？」

「俺達の存在を知って慌《あわ》てたか、或《ある》いは——」

周到《しゅうとう》な罠《わな》か。

だが、罠を恐れてこのまま退散するなど論外だ。

この建物に失踪の被害者が居《お》り、監禁されて居る目算が強いとあらば、助け出さん訳にはいかん。

「最初の被害者は失踪から既《すで》に三十五日経《た》つ。今なお監禁されて居るのなら命に関《かか》わる。太宰、彼女を警護し乍《なが》ら随《つ》いて来い」
銃《じゅう》を構え、廊下《ろうか》を進む。

念のため市警に一報を入れた後、佐々城女史の案内で辿《たど》り着いたのは、霊安室《れいあんしつ》であった。遺体は貴重品であり、平素より盗難《とうなん》を防ぐ必要がある為、扉《とびら》は頑丈《がんじょう》。鉄扉《てっぴ》は掛金《かけがね》で施錠されて居る。生きた人間を幽閉《ゆうへい》するにも好条件だ。

罠の無いことを確認《かくにん》して掛金《かけがね》を破壊《はかい》し、室《へや》に駆《か》け込んだ。両手首を交差させ、銃口《じゅうこう》と電灯を同時に前方に差し向ける。

霊安室は十米《メートル》程度の奥行きがあり、おそろしく暗い。殆《ほとん》どのモノは引き払《はら》われ、あるいは盗《ぬす》まれて、室内はがらんと空虚《くうきょ》だ。あるモノと云えば脚《あし》の折れた遺体担架《たんか》、裂《さ》けた遺体袋《ぶくろ》、壁に備え付けられた引き出し式の鉄棺桶《てっかんおけ》。

その他には何も無い。死体も、生きた人間も。――否《いや》。

電灯の光に反応して、室《へや》の奥で何かが動いた。そちらに電灯の白光《びゃっこう》を投げる。

「た……助けて呉《く》れ……」

居た。

壁際《かべぎわ》の鉄檻《てつおり》に、纏《まと》めて四人。皆《みな》佐々城女史と同じような、簡素な肌着《はだぎ》姿だ。

「ここは、何処《どこ》?」

「先刻《さっき》女の叫声《さけびごえ》が……どうなって居るんだ」

「落ち着け。俺達は救助だ。叫声《さけびごえ》の女性も救助した。怪我《けが》人は居るか?」

「い——否《いや》、だが、ここは何処なんだ? 我々は何故こんな場所に」

近づいて状況を確認する。入口とは逆側の壁《かべ》に、猛獣《もうじゅう》を船舶《せんぱく》輸送する際などに使う金網檻《かなあみおり》が打ち付けられていた。手持ちの器具での取り外しは難しそうだ。檻自体も、造りが単純なだけに頑健《がんけん》で、破壊には時間が掛かるだろう。

「ふうん。電子端末《たんまつ》式の施錠《ロック》だね」太宰が檻の錠前《じょうまえ》に近付いて確かめる。「暗号か、生体認証か、合言葉か……『開け胡麻《ゴマ》』! 『稲光と雷鳴《フラッシュ・サンダー》』! 『恥《はじ》の多い生涯《しょうがい》を送っております』!

うーん、開かないか。壊すしかないね」

何だ最後のは。

「壊すには多分、この辺を、こう——」

太宰が端末に触《ふ》れようとした瞬間《しゅんかん》、佐々城女史が弾《はじ》かれたように叫んだ。

「駄目《だめ》です、その錠前に触れては不可《いけ》ません!」

太宰が驚《おどろ》いて振《ふ》り返る。端末に紅《あか》い燈《ともしび》が点《とも》る。

上階で何かの金属が落ちる音。何かが開く音。

檻の中に乳白色の噴煙《ふんえん》が撒《ま》き散らされる。思わず駆け寄った俺の眼《め》と喉《のど》に刺《さ》すような激痛。檻の中の失踪者達が魂《たまぎ》消える絶叫《ぜっきょう》を上げた。

「毒瓦斯《どくガス》だっ！」

激痛に涙《なみだ》が溢《あふ》れる。視界が覚束《おぼつか》ぬ。世界が滲《にじ》む。まるで何もかもが踊《おど》っているかのようだ。いくらか吸って了《しま》った。だが被害者を見捨てる訳にはいかん。檻に手を掛ける。

「近付いては駄目です、もう手遅《ておく》れです！」

誰《だれ》かが腕を摑《つか》み背後に引っ張る。五月蠅《うるさ》い。俺は助けねばならん。被害者は死んではならん。それが理想だ。それが世界の在るべき姿だ。

「国木田君！　疾《はや》く！」太宰が後方で叫ぶ声。

厭《いや》だ。これは間違《まちが》って居る。

「駄目です！」

佐々城女史が俺を抱《だ》き締《し》めて止める。何故だ。何故止める。人は死んではならんのだ。俺の目の前では、誰も——

太宰に引き摺《ず》られ室《へや》を後にした。俺は何かを叫んで居たが一向に憶《おぼ》えて居ない。

監禁されて居た四名は全員死んだ。

二、

十一日。

深夜帰宅の後《のち》吾《われ》硯《すずり》に向かひつ、黙《もく》す。

記憶《きおく》して忘るゝ能《あた》はざる日なれど、手記をして書くるを認めず。

如何《いか》なる苦難にも忍《しの》ぶ可《べ》し、三斗《と》の泥《どろ》を塗《ぬ》られ猶《なほ》笑ふ可《べ》し。

黙《もく》、又《ま》た黙《もく》。

探偵《たんてい》社の執務《しつむ》机で、新聞を読む。

朝から報道は大変な騒《さわ》ぎだ、映像も、電網《ネット》も、或《あ》る煽情的《センセイショナル》なニュースをがなり立てている。

『横浜連続失踪《しっそう》事件の被害者《ひがいしゃ》、発見さるも死亡』

『民間の探偵会社が独断で踏《ふ》み込んだ為《ため》死亡か』

そして画像。白煙《はくえん》、悶《もだ》える犠牲者《ぎせいしゃ》、そして鉄檻に摑みかかる俺。

新聞には未《ま》だだが、間もなく載《の》るだろう。

探偵社の電話は朝から絶え間なく鳴り響《ひび》いている。苦情の電話だが、近くそれに遺族からの訴訟《そしょう》の電話が交じるだろう。さらに残り七名の失踪者の行方《ゆくえ》は、依然《いぜん》不明だ。

何者かが、毒瓦斯《どくガス》による被害者死亡の瞬間を撮影《さつえい》し、世間に散蒔《ばらま》いたのだ。

机の電話が神経に響く音で鳴る。俺は受話器に手を伸《の》ばした。

俺が手に取るより早く、太宰が受話器を摘《つ》まみ上げ、直《す》ぐ元《もと》に戻した。呼出音が消える。

「これが敵さんの狙《ねら》いだった訳だね」明るい声だ。写真を持っている。

「せめてもの慰《なぐさ》めはこれだね。国木田君、中々男前に写ってるよ」

太宰が持つ写真を無言で取り上げようとしたが、ひらりと手を掲《かか》げて避《よ》けられた。

「今日はもう帰れば？　君、凄《すご》い顔しているよ」

「……帰らん。業務が有る」

「こんな非常事態に律儀《りちぎ》だなあ。私なんか探偵社屋に入ろうとしたら二回石投げられたよ」

俺は外に眼を遣《や》る。朝から数名の抗議者《こうぎ》が、社屋の外で騒ぎ立てて居る。明日は更《さら》に増えるだろう。

「律儀？　阿呆《あほう》、最優先の業務が有るだろう。犯人捜しだ」

「まあ……それは確かに、その通り」恍《とぼ》けた顔で太宰は肯《がえ》んじる。

「佐々城女史は？」

「参ってるね。今は医務室で与謝野《よさの》女医《せんせい》が診《み》てるよ。大事《だいじ》は無さそうだけど」

「彼女の話を聞こう」

俺は立ち上がる。佐々城女史は犯人に接触《せっしょく》し唯一生還《ゆいいっせいかん》して居る証人だ。誘拐《ゆうかい》手口から犯人が判《わか》るかも知れん。

先に医務室に向かった太宰を追うべく立ち上がり、ふと写真に目を落とした。俺と佐々城女史、被害者は顔まで写って居るが、太宰の姿は外套《コート》の裾《すそ》が写る程度だ。

あいつ、どうやってこの隠《かく》し撮《ど》りを避けたのだ？

○　○　○

「申し訳ありません……お力に成りたいのですが……」

医務室で女史は力なく俯《うつむ》いた。

「私は元来《がんらい》体が弱く、貧血で倒《たお》れる事が間々《まま》あるのです。特に事件の日は体調を崩《くず》して居《お》りまして……駅で気を失ったのは恐《おそ》らくその為かと」

それでは、犯人の姿も手口も判らんという事か。だが――

「だとしても、昏倒《こんとう》した貴女《あなた》をどさくさで誘拐した奴《やっ》が居《い》る訳だ」

横浜駅の直中《ただなか》で誘拐など、人が多過ぎて不可能だ。気絶した女性を運ぶならば尚更《なおさら》目立つ。敵は複数犯か、或《あ》るいは余程《よほど》巧《たく》みな技巧《トリック》を用いたか――

「昨日は……本当に、有り難《がと》う御座《ござ》いました。あの時助けて頂かなければ、私の命は御座いませんでした。そればかりか、こうして保護して頂き、何かと扶助《ふじょ》頂いて……私その、頼《たよ》れる知人親類も居りませんもので」

佐々城女史は細い頸《くび》をうなだれて黙《もく》した。それきり喋《しゃべ》らない。そうされると、元来の細さ色の白さと相まって、糸の切れた仕《し》掛《か》け洋人形のようだ。

実際、彼女は人生の糸が切れたに等しい。正体不明の殺人鬼《さつじんき》に殺されかけ、理由も判らず、今なお命を狙われているやも知れんのだ。

「それに昨晩は、ご邸宅《ていたく》にお泊《と》め頂きましたうえ、ご面倒《めんどう》を……お掛《か》け致《いた》しまして」

……ん？

「泊めた？　何処《どこ》に？」

「うち」太宰がしれっと答える。

………。

……そういうのアリなのか、最近は？

「太宰様……有り難う御座いました。その……大変、お世話に……なりまして」

何故《なぜ》か頰《ほお》を紅《あか》らめて恥《は》じ入る佐々城女史。

「どうしたの、国木田君？　もの凄く変な顔してるよ、今の君」

「太宰、お前……幾《いく》ら何でも手が早すぎないか？」

「いえ、違《ちが》うのです。私から御願《おねが》いしたのです。その……是非《ぜひ》にと」

「いやあ、お気になさらず。紳士《しんし》の嗜《たしな》みですから。初対面の方に御願いされるのも、良く有ることだし」太宰が笑顔《えがお》で返礼した。

……………。

俺は軽佻浮薄《けいちょうふはく》な色恋《いろこい》は好まん。男女の仲は慎《つつし》み深く互《たが》いを尊敬したものであるべきだ。故《ゆえ》に、一夜の行きずり、気分だけの睦《むつ》み、計画の無い刹那《せつな》的な交際などは断じて許されざる、弾劾《だんがい》すべき行為《こうい》と常々考えて居る。

故に、故に。太宰如《ごと》きがいくらモテた処《ところ》で、寸毫《すんごう》たりとも羨《うらや》ましくは無い。悔しくも無い。

羨ましくなんか無いぞ。

◯　◯　◯

医務室より戻り、調査に向かうべく社にて準備を整えている時、太宰が若気《にやけ》ながら云《い》った。

「薄倖《はっこう》の美女だねえ」

「お前はああいう女性が好みか」

「私は女性は皆《みんな》好きだよ。凡百《あらゆる》女性は生命の母にして神秘の源だからね。でも佐々城さんは、頼《たの》んだら一緒《いっしょ》に心中してくれそうで良いなあ」

「お前は蟬《セミ》とでも結婚《けっこん》していろ」

男女の交際は清く靭《つよ》く在るべきだ。お互いに補完しあい高めあう理想の配偶者《はいぐうしゃ》とのみ交際し、一生添《そ》い遂《と》げる。それが俺の『理想』だ。

実際に手帳にそう書いてある。

「国木田君こそどうなの。佐々城さんどう思う？」

「事件の被害者にして証人。それだけだ」

「全く想像出来ないから訊《き》くんだけど……国木田君の理想の女性って、どんな人？」

「読むか」

俺は自らの手帳の頁《ページ》、『配偶者』の項《こう》を開いて見せる。俺の手帳には凡百《あらゆる》計画が記入されている。

「長っ！　これ全部!?」

太宰が手帳の頁を読み進めるにつれ、表情が凍《こお》り付いてゆく。

「……うわっ。いやいやいや、それは流石《さすが》に……うわ、ええっ」

「何だその反応は。変か？」

「いや、良《い》いと思うよ。男性なら誰《だれ》しもが共感出来る理想だよね……それぞれの項目《こうもく》は」

「そうだろう。女性に理想を求めて何が悪い」

「その通り、全くその通りだよ国木田君。でも一つ云えるのは、その頁《ページ》絶対女性に見せない方が良いよ。引くから。私でも今『こんな奴いねぇよ！』って叫《さけ》ぶの我慢《がまん》してるもの」

そんなものか。

「さあ、判ったから仕事に行くぞ。誘拐犯の手掛《てが》かりを追う。太宰、何か気付いた事はないか」

「ひとつ在るよ」

「何だ」

「女性の理想を追うなら、まずその地味眼鏡《メガネ》を何とかしないと」

太宰が素早《すばや》く俺の眼鏡を奪《うば》い、自分の眉間《みけん》に掛ける。似合わん。

「その話題はもういい！　返せ！」

眼鏡など、業務に差し支《つか》えなければ十分だ。眼鏡の品質で評価が変わるならば誰も苦労はしない。

それにしても眼鏡の太宰は実に滑稽《こっけい》な面構《つらがま》えだ。何故か平時より阿呆に見える。

「…………眼鏡？」

眼鏡。被害者《ひがいしゃ》の写真。顔。監視《かんし》装置。全員が、宿泊亭《ホテル》の――

「如何《どう》したの、国木田君」

自らの足で宿泊施設《しせつ》から消えた失踪《しっそう》者。全員が一人で横浜に宿泊。施設出入口の監視映像。

「行くぞ太宰」太宰から眼鏡を奪い返し、自分に掛ける。

「犯人が判った」

○　○　○

横浜港に潮風が吹《ふ》く。俺と太宰は、横浜港の海辺、河口の畔《ほとり》に立っていた。

空を見れば日は既《すで》に高く、雲と雲とが作る青の底で白い光が砕《くだ》けて頭上に降り注いでいた。

だが俺の心中は晴れん。

目の前に見覚えのあるタクシーが停車する。

「国木田調査員！　さあ、早くお乗り下さい」見覚えの有る運転手がこちらを手招きした。俺達は急ぎ乗り込む。

「悪いな、急に頼んで」

「何の何の、探偵《たんてい》社の、国木田調査員の一大事とあらば、たとえ火の中水の中で御座いますよ！　さて何と致しましょう、お急ぎで向かわねばならぬ処《ところ》が有るとか。制限速度ぶっちぎりで急行致しますよ！」

「制限速度は守れ。実は、先《せん》だって話した横浜連続失踪事件、あの犯人が判《わか》った」

「何ですと！　廃《はい》病院の報道、僕も拝見しましたよ。亡《な》くなられた被害者の無念如何《いか》ばかりか……その犯人の捕縛《ほばく》に向かわれるのですね、合点《がてん》致しました！　早くせねば犯人に逃《に》げられる、して、現場は。誘拐《ゆうかい》の凶行《きょうこう》が行われた場所は何処《いずこ》でございましょうや！」

「ここだ」

「は？」

「犯人はお前だ。そして誘拐現場はここ、タクシーの中だ」

「は……何と仰《おつしや》りました？　僕には、意味が、何やら」

「考えた。この都会で、人ひとり目立たず誘拐出来るのは誰か。見知らぬ人間でありながら、被害者が何の警戒《けいかい》も無く個室に二人のみと成るのを許す場所は横浜の何処に有るか。ここだ。お前はここで被害者に催眠瓦斯《さいみんガス》を嗅《か》がせ、気絶した処を誘拐したのだ。自分は防毒面《マスク》で瓦斯《ガス》を防いで」

「いや……いやいやいや、お待ち下さいよ。確か調査では、被害者の方々は自らの足で歩いて何処へともなく消えたと、乗り物に乗った形跡《けいせき》や施設に入った記録も無かったと、そう聞いておりますが。若《も》し被害者が皆このタクシーに乗ったのであれば、通話なり、乗り込む処を誰かが記憶《きおく》されて居るのでは？」

「そうだ。間違《まちが》い無く被害者は全員、このタクシーに乗り込んだ。だが市警が幾《いく》ら調べても、その記録は出ない。調べる日付を間違えていたからだ。被害者が乗り込んだのは、彼等が失踪した日ではない」

「それは……どういう」

「まあまあ、国木田君。こう云うのは相手の質問に一々答えてたらキリが無いよ。私が順を追って起こった事を説明するね」

太宰が割って入り、推理を進めていく。

「運転手さん、君は日常業務を行いながら、ある特定の客を探して居た。条件は簡単。『一人で横浜を訪《おとず》れており、これから宿泊亭《ホテル》に向かう事』『帽子《ぼうし》、眼鏡、遮光硝子《サングラス》等で顔が部分的に隠《かく》れて居る事』『君と背恰好《せかっこう》が近い事』——君は小柄《こがら》だから、条件さえ合えば女性でも良い。その方が被害者の関連性が消え、捜査《そうさ》を攪乱《かくらん》出来るから」

「一体……どういう意味で」

「マァ反論は最後まで聞き給《たま》えよ。君はこの辺を流すタクシー運転手だ。どんなに厳しく見積《みつも》っても二、三日あれば該当《がいとう》の人物は見付かるだろうね。『これぞ』と云う人物が現れたら、国木田君が云った通り、催眠瓦斯《さいみんガス》を室内に撒《ま》いて気絶させる。それから君は隠れ家まで運転し、被害者を監禁《かんきん》し、荷物と服を奪う。廃病院の被害者が皆肌着《みんなはだぎ》姿だったのはその為《ため》だね。さて此《こ》所《こ》からが君の腕《うで》の見《み》せ処《どころ》だ」

太宰は嬉《うれ》しそうに手を叩《たた》いて、続きを語っていく。

「君は被害者の衣服を着て、被害者に変装する。昨晩君が云《い》っていた通り、顔を化粧《けしょう》し、頬《ほお》や体に詰《つ》め物をすれば、そこそこの変装は可能だ。無論訓練は念入りにしただろうし、その上で変装する自信の有る容姿の被害者しか選ばなかっただろう。その上君が騙《だま》すのは人間ではなくて『映像』だ。君は被害者の宿泊する予定の施設に行き、わざと監視映像に映る」

捜査で見た監視映像を思い起こす。今思えば、十一名の内に眼鏡六名、遮光硝子《サングラス》二名、計八名と云う比率は高過ぎる。残りの三名も帽子か長髪《ちょうはつ》で、顔が監視映像に一部しか映らない恰好をして居た。変装の容易な、特定の服装をした被害者を選んだ結果だったのだ。

「後は簡単だね。宿泊部屋に被害者の荷物を置き、翌日堂々と立ち去る。すると記録映像では入る時も、受付も、出る時も同一人物だから、市警は宿泊亭《ホテル》から出た後の足跡《そくせき》ばかりを執拗《しつよう》に調査することになる。無論足跡なんて見付かる筈《はず》がないよね。君は横浜市街《しがい》の地理を知悉《ちしつ》して居るし、何処《どこ》を行けば記録が残り、何処を逃げれば監視映像に映らないか位は事前に把握《はあく》済みだ。調べれば調べる程《ほど》、被害者が自ら望んで記録を避《さ》け、消えたように見える」

「ご無体な。そんな、理屈《りくつ》で考えただけの仮説を披瀝《ひれき》いただきましても、証拠《しょうこ》が、そう、証拠がありません」

「どうかな。佐々城女史の誘拐も同様に、お前の単独犯で可能だ」

俺は太宰の言葉を継《つ》いで説明を続ける。

「駅で気絶した佐々城女史を誘拐するのは最も簡単で、お前からすれば予想外の幸運だったろう。普通昏倒《ふつうこんとう》した急病人が居れば周囲の人間は救急車を呼ぶ。だが救急車は、病院から駆《か》けつけるまでに時間が掛《か》かる。しかし現場は駅だ。駅ならば、今直《す》ぐ発車出来るタクシーが常に待機して居る。女史は居合わせた善意の有志によって助けられ、時間優先の判断からタクシーに乗せられた。そしてお前は堂々と女史を連れ去ったのだ。違《ちが》ったのは、お前が云われた通り病院に連れて行かなかった事だけだ」

「…………それは」

運転手は何か云いたげな声を発したが、それ以上何も云わなかった。その表情は此所《ここ》からでは判然としない。

俺は視線を車内の内装に転じた。その隙間《すきま》にごく僅《わず》かに付着した、白い微粒子《びりゅうし》を指先で摘《つ》まみ上げる。

「自首するならば早い方がいい。証拠は孰《いず》れ出るぞ。例えばこの車内……犯行後は念入りに掃除《そうじ》したのだろうが、消しきれなかった瓦斯《ガス》の残留粉《ざんりゅうふん》が車内に僅かに残って居る。解析《かいせき》に回せば直ぐ成分が出る」

「それは……覚えが有りません。恐《おそ》らく乗客が勝手に撒いたのでしょう。そう云う事も出来ます。証拠にはなり得ない」運転手が絞《しぼ》り出すような声で反論する。

だが、反論している時点で自白したも同じだ。

「証拠など無くとも、お前しか有り得んのだ」

俺は更《さら》なる論拠《ろんきょ》を伝える。

「今太宰の云った手口を使えるのは、被害者《ひがいしゃ》を乗せたタクシーのみだ。お前が被害者の内二人を乗せたと云う事は、他《ほか》の九人も乗せた事を自供したに等しい」

「国木田調査員。それは物的証拠では有りません」

運転手が視線を合わせぬまま、明瞭《めいりょう》に言い切った。

「あなたが云うのは凡《すべ》て状況証拠《じょうきょうしょうこ》です。僕の家から凶器《きょうき》が見付かった訳でも、犯行の瞬間《しゅんかん》を捉《とら》えた映像が有った訳でもない。それでは僕を起訴《きそ》は出来ても、有罪には持ち込めません」

次は俺が沈黙《ちんもく》する番だった。

確かに此奴《こいつ》の云う通りだ。此奴を有罪にする為には、被害者と運転手を結びつける物的な証拠――血液、指紋《しもん》、映像記録、犯人しか知り得ない情報の自供――等が必要だ。今のところそこまで確たる物的証拠《ハード・エヴィデンス》は無い。それどころか現状では嫌疑《けんぎ》不十分で不起訴処分と成りかねない。

運転手の口振《くちぶ》りからして、証拠は徹底《てってい》して隠滅《いんめつ》して居るだろう。

思ったより頭の回る奴《やつ》だ。どうするか――

だが、次の一言は俺の予想を全く覆《くつがえ》すものだった。

「国木田調査員……取引を致《いた》しましょう。条件を呑《の》んで頂ければ、僕は自首致します」

「何？」

「条件とは、武装探偵社《たんていしゃ》が僕を依頼人《いらいにん》として警護し、安全保障する事です。期限は僕が検察取り調べを終え、取引に依《よ》る証人保護が成立する迄《まで》、七十二時間の間」

「証人保護取引だと？　どう云う意味だ」

「時間が……有りません。僕は殺される。彼奴《あいつ》らに殺されるんだ」

「待て。話が見えん。順序立てて教えろ。誰《だれ》に、何故《なぜ》狙《ねら》われるんだ！」

「あんな連中と取引するんじゃあなかった……個人が何の後ろ楯《だて》も無しに臓器売買ビジネスに手を出したから、奴等《やつら》の逆鱗《げきりん》に触《ふ》れたんだ！　拙《まず》い……拙いんです、調達人《バイヤー》とも連絡《れんらく》が付かない。僕は切り捨てられたのです！　何故、絶対に露見《ろけん》しない筈だったのに……奴等がもう、すぐ其処《そこ》まで」

「成る程——そう云う事だね」太宰が顎《あご》に手をあてて一人頷《うなず》いた。

「おい太宰、こいつはどう云う意味だ！　奴は何を云ってる！」

「そのままだよ。彼は被害者を臓器密売組織《シンジケート》に売って居たんだ。けど僅か一月《ひとつき》の間に大量の商品が出回ったために、臓器が一時的に値崩《ねくず》れを起こして相場が混乱したのだよ。譬《たと》えるなら、大企業《だいきぎょう》が微妙《びみょう》な管理をしてる供給市場《しじょう》に、個人事業者が突然《とつぜん》割り込んで市場《しじょう》を引っかき回した訳だね。するとどうなる？」

「大企業が——怒《おこ》る？」

「表社会なら健全な競争だ。けど界隈《かいわい》の臓器供給を担《にな》う親元は裏社会の、血液と暴力を貨幣《かへい》とする連中だ。自分のシマを荒《あ》らされた彼等は怒って――」

その瞬間、車体に衝撃《しょうげき》。

更に連続で車体が跳《は》ねる。甲高《かんだか》い音が響《ひび》く。

俺達が乗るタクシーの右側が浮《う》く。弾丸《だんがん》が飛来する音と共に、窓硝子《まどガラス》が爆《は》ぜ割れた。

「銃撃《じゅうげき》だ！　頭を下げろ！」

俺は叫《さけ》ぶ。窓硝子《まどガラス》の破片《はへん》が車内に降り注ぎ、金槌《ハンマー》で乱打するような衝撃と振動《しんどう》が車体を揺《ゆ》らす。

「奴等だ！　ひいっ、助け……死にたくないっ！」

「おい、待て！」

運転手が車のドアを開け、襲撃《しゅうげき》とは逆方向に遁走《とんそう》した。

「国木田君、運転手を逃《に》がしても死なせても、事件の真相は藪《やぶ》の中だよ！　敵より先に捕《つか》まえないと」

車内に伏《ふ》せた太宰が叫んだ。云われるまでも無く判《わか》っているが、状況《じょうきょう》が困難《ハード》過ぎる！

「私が運転手を追うから、国木田君は連中を引き付けておいて！」

「待て、単独行動は危険だ！　太宰！」

制止も聞かず、太宰が駆け去って行った。最初の鉄火場《てっかば》で新人に単独行動をさせる訳にはいかん。しかし別行動以外の選択肢《せんたくし》が無いのも事実だ。

悪態をつき乍《なが》ら敵を見る。敵は三名。黒服に黒眼鏡。海外の密輸短機関銃《サブマシンガン》で武装していた。いきなり街中を鉄火場に変える苛烈《かれつ》さと容赦《ようしゃ》の無さ、服装と練度の高さから察するに――

「糞《くそ》っ、最悪だ！　**ポートマフィアか！**」

ポートマフィアとは、横浜港湾《こうわん》周辺を根城とする非合法組織である。性質は裏社会の組織で最も残忍《ざんにん》苛烈、首領《ボス》の命令を絶対至上とする鋼鉄の掟《おきて》により結束し敵対者を粉砕《ふんさい》する。横浜で最も兇悪《きょうあく》な非合法組織である。

其《そ》のポートマフィアの武装要員が三名。時間を掛けていては圧殺される。

「『**独歩吟客**《どっぽぎんかく》』――閃光榴弾《フラッシュバン》！」

手帳に文字を綴《つづ》り、破いて念を込める。紙片がうねり、拳大《こぶしだい》の榴弾《りゅうだん》へと姿を変じた。

俺は割れた窓から、敵の一団目掛けて榴弾を投擲《とうてき》した。

閃光榴弾《フラッシユバン》は敵の視覚、聴覚《ちょうかく》を一時的に奪《うば》う事を目的とした光学音響《おんきょう》兵器である。

敵の至近で爆裂《ばくれつ》した榴弾は、病人であれば心停止する程《ほど》の閃光《せんこう》と爆轟音《ばくごうおん》を放つ。襲撃相手が閃光榴弾《フラッシュバン》で反撃《はんげき》するとは露程《つゆほど》も思って居なかったのだろう、マフィアの一団は側頭を押さえ蹲《うずくま》った。

その一瞬《いっしゅん》の隙《すき》に俺は車輛《しゃりょう》から飛び出し、敵に向けて駆ける。最も手近な一人の頸部《けいぶ》に肘《ひじ》を落として地面に叩《たた》き付け、次の一人を搗《か》ち上げ上段蹴《げ》りで吹《ふ》き飛ばした。

最後の一人が銃身《じゅうしん》で殴《なぐ》り掛《か》かって来た。俺は上体を横に捻《ひね》る体捌《スウェイ》きで回避《かいひ》する。体勢が崩《くず》れたマフィアの手首を掴《つか》み捻る。手首を引きつつ外側に捻る『四方投げ』の技《わざ》で相手を投げ飛ばす。

空中で弧《こ》を描《えが》いたマフィアは、頭蓋《ずがい》から地面に叩き付けられ忽《たちま》ち昏倒《こんとう》した。

全員の気絶を確認《かくにん》し、タクシーの傍《そば》まで歩いて戻《もど》る。

「やれやれ」

太宰の方も巧《うま》くやっていると良いが……。

刹那《せつな》、背後より膨大《ぼうだい》な殺気。

見返すより疾《はや》く横方向に跳《と》んだ。つい今まで俺の居た場所に、黒い奔流《ほんりゅう》が駆け抜《ぬ》ける。

奔流はタクシーに衝突《しょうとつ》し、そのまま車輛を両断した。

車輛が中央より真っ二つに搔《か》っ捌《さば》かれ、断面から螺旋《らせん》や軸棒《じく》を撒《ま》き散らしながら空中を跳ねていった。驚愕《きょうがく》する暇《ひま》もなく、俺は更に地を蹴って回避を重ねる。手近に有った標識が、手摺《てすり》が、鋭利《えいり》な断面を見せて細切れに寸断されていく。

　地面を半回転して向き直れば、遠くに見える黒外套《がいとう》の小柄《こがら》な青年がひとり。

「ゴホっ、ごほ——」

　殺気の正体は奴か。

「ゴホっ——片手間仕事と蔑《なみ》して来たが、三名を一刹那《いちせつな》で制する手並《てなみ》、お美事成《みごとなり》。次は僕《やつがれ》の『羅生門《らしようもん》』と御相手頂く」

　武器も持たず構えも無く、時折咳《せ》き込み背を折りながら唯《ただ》歩み来る青年。だがその全身からは狂犬《きようけん》の悪意が無音の暴風と成って吹き荒れている。

　短軀《たんく》に洋装の黒外套。黒い奔流の異能。ポートマフィアの黒き禍狗《まがいぬ》。

「貴様——ポートマフィアの芥川龍之介《あくたがわりゆうのすけ》か！」

「いかにも。首領《ボス》の命《めい》に依り、マフィアの庭を荒らした味者《まいしや》の頸《くび》を刎《は》ねに来た。奴は何処《いずこ》か」

「ここには居《お》らん。尻《しり》に帆《ほ》かけて逃げ出した」

　俺は運転手が逃げた先を指で示した。しかし俺の視線は芥川を捉《とら》えたまま。一瞬も目を離《はな》せない。

　最悪の中の最悪が来た。ポートマフィアの芥川と云《い》えば、裏社会の猛者《もさ》共でも泣いて逃げ出す禍《まが》つ名だ。

黒き牙《きば》の禍狗《まがいぬ》。破《は》壊《かい》と災厄《さいやく》の異能者。絶望と惨劇《さんげき》の使徒。芥川を彩《いろど》る闇《やみ》の二つ名には枚挙に遑《いとま》がない。

見《み》えるのは初だが、タクシーを両断した破壊の業《わざ》を見る限り、噂《うわさ》以上の危険さだ。どうする。簡単だ。芥川の狙《ねら》いは誘拐《ゆうかい》犯。芥川が其程《それほど》に危険な相手ならば、命を張ってまで誘拐犯を庇《かば》う道理など無い。素直《すなお》に引くに限る。

「奴《やつ》は証人だ。残りの失踪《しっそう》者の居所を聞き出すまで、殺させる訳にはいかん。奴を追いたければ俺を倒《たお》せ」

「命を賭《と》して殺人者を庇うか。そうこなくてはな」

糞《くそ》。我ながら阿呆《あほう》な性格だ。

だが武装探偵《たんてい》社が一隅《いちぐう》として、事件の証人をむざむざ外法《げほう》の輩《やから》に殺させる訳にはいかん。

『すべきことをすべきだ』。手帳の言葉を諳《そら》んじる。

芥川の黒外套が蠢《うごめ》く。千の物怪《もののけ》が集《つど》い凝縮《ぎょうしゅく》して仮初《かりそ》めの姿を得たかのようだ。布で在ることを放棄《ほうき》し、あるものは爪刃《そうじん》の、あるものは鋭牙《えいが》の形を取りはじめる。

「ポートマフィアが走狗《そうく》、芥川龍之介。参る」

「武装探偵社が一隅、国木田独歩。参る」

芥川から爆発《ばくはつ》的に放射される黒刃《こくじん》が、驟雨《しゅうう》となって前方より殺到《さっとう》する。

俺は横に跳ぶ。黒刃の幾筋《いくすじ》かが衣服を裂《さ》き、残りが背後の壁《かべ》に無数の孔《あな》を穿《うが》つ。

引き戻される黒刃が再び襲《おそ》い来る前に、俺は手帳に素早《すばや》く文字を書き込み、頁《ページ》を破り取った。

紙片が瞬《また》く間に鉄線銃《ワイヤーガン》に姿を変じる。引金《トリガー》を絞《しぼ》り、鉤針《かぎばり》を撃《う》つ。

しかし鉄をも穿つ鉄線銃は、芥川に命中する寸前、見えない障壁《しょうへき》に阻《はば》まれて弾《はじ》かれた。

「何……!?」

奴が防禦《ぼうぎょ》動作をした様子は無かった。これも奴の異能か？

空を射た鉄線が巻き取られるよりも疾《はや》く、芥川の外套の一部が黒き餓獣《がじゅう》の首に変じた。咆吼《ほうこう》を撒き散らし、餓獣の頭部が水平方向に迸《ほとばし》る。疾い！

身を捻って回避するが、左肩口《ひだりかたぐち》を牙に引き裂かれた。鮮血《せんけつ》が飛ぶ。だが止血する暇など無い。

次々に襲い来る黒獣の牙を、後退しながら回避する。反撃どころか、近付く暇さえ無い！

「逃げてばかりか武装探偵社。詰《つま》らぬ」芥川が直立した儘《まま》で吐《は》き捨てる。

頰《ほお》を冷汗《ひやあせ》が滑《すべ》り落ちた。——強い。

中《あた》れば致死《ちし》の黒刃を間合《まあい》数米《メートル》の距離《きょり》で高速射出し、反撃どころか回避以外の行動を取らせない。飛び道具も容易《たやす》く撃ち落とす。運良く中《あ》てたとしても、先程の謎《なぞ》の障壁。死角が無い。

間断なく襲い来る黒刃を避《よ》け、舗装《ほそう》道路に着地した瞬間《しゅんかん》、正体不明の悪寒《おかん》が走る。

舗装路面を貫《つらぬ》いて、足下《あしもと》から槍《やり》の如《ごと》き黒刃が一斉《いっせい》に噴《ふ》き出した。

注意を空中に向けておき、別の黒刃に地下を穿孔《せんこう》させて居たのだ！

体を捻って再跳躍《さいちょうやく》しようとするが、体重が沈《しず》み過ぎている。間に合わない。

俺の脇腹《わきばら》を黒刃が貫通《かんつう》し、背中側に抜けた。

「があっ……！」激痛に視界が染まる。

堪《たま》らず膝《ひざ》をついてしまう。拙《まず》い、次が来る。一瞬でも動きを止めれば追撃《ついげき》で死ぬ。だが如何《どう》しようもない。

俺の頸《くび》に羅生門の黒布が巻き付けられる。俺の足が地面から離れる。大蛇《だいじゃ》の鎌首《かまくび》のように黒布が撓《しな》り、傍《かたわ》らの壁に俺は強く叩き付けられた。

「他愛《たあい》無い、所詮《しょせん》は日銭稼《ひぜにかせ》ぎの探偵屋か。此《こ》の儘《まま》頸を捩《ね》じ切って遣《や》ろう」

黒布が締《し》まる。世界が赤く染まる。

「どいつも、こいつも……俺の仕事の邪魔《じゃま》を……するな！」

頸を絞められ乍《なが》ら右手の鉄線銃を撃つ。だが標的は芥川ではない。

発射された鉄線銃の鉤針は芥川の傍ら、建物側面を走る水道管に命中。芥川に向けて水道水が噴出《ふんしゅつ》した。

「何っ……？」

芥川が腕《うで》を掲《かか》げて水を防禦《ぼうぎょ》するも、高圧流水は芥川を含《ふく》めた路面の悉《ことごと》くを濡《ぬ》らせていく。

「愚《おろ》かな。水遊戯《みずあそび》ごときで僕《やつがれ》が怯《ひる》むか」

俺は左手に手帳の頁《ページ》を掲げた。先程鉄線銃を造った時、同時に書き込んで居た二枚目の頁を。

「『独歩吟客《ぎんかく》』──雷撃針器《スタンガン》！」

忽《たちま》ち変じ生じた拳大《こぶしだい》の携帯《けいたい》高電圧雷撃針器《スタンガン》の電源を入れ、水溜《みずたま》りに向けて投擲《とうてき》した。

一閃《いっせん》。地上に星が生じる。

「ぬあああああっ!?」

着水した雷撃針器《スタンガン》が水を伝導体として、紫《むらさき》と白の光芒《こうぼう》を放つ。

からみつく蛇《へび》の如き紫電が、水に濡れた芥川の全身を駆け抜けていく。

路上を第二の太陽となって照らした紫電は、水蒸気と路面が爆《は》ぜる音を残し、やがて消えた。

俺の頸を縛《いまし》めていた羅生門の黒布が解け、俺は舗装道路に着地する。痛む頸と脇腹を押さえながらも、芥川を見た。

芥川は蹲《うずくま》っている。全身から蒸気と白煙《はくえん》が立ち上っている。

「く、くく……くははは」

芥川が蹲ったまま肩《かた》を震《ふる》わせて嗤《わら》った。あの電撃《でんげき》を喰《く》らって未《ま》だ動くか。

「武装探偵社は幇間《ほうかん》の集いに非《あら》ず、か。善《よ》いぞ。実に善《よ》い」

「……来るなら来い。手帳の頁《ページ》はまだ売る程《ほど》ある」

俺は四肢《しし》を奮い立たせ、再び鉄線銃を構える。

「貴様《やつがれ》が僕を滅《ほろ》ぼす器《うつわ》か否《いな》か、是《ぜ》が非《ひ》でも味見したい……が、生憎《あいにく》邪魔が入った様だ」

芥川が視線を遣《や》った先に顔を向けると、市警の巡回車《じゅんかいしゃ》が鳴らす警笛が近づいてくるのが聞こえた。銃撃戦《じゅうげきせん》の通報を受けたのだろう。

「裏切者ひとり如き何処に逃《に》げようと狩《か》れる。今回は退こう。続きは孰《いず》れ」

芥川が呟《しわぶ》きつつ俺に背を向けた。そのまま去っていく。まるで散歩の帰りのような気負いの無さだ。事実、奴にすれば今戦うも退くも大した違《ちが》いでは無いのだろう。

「二度と、来るな……」

芥川の背を見送り乍《なが》ら、俺は膝を地に落とした。

ポートマフィアの芥川。噂《うわさ》に違わぬ、いや噂以上の禍狗《まがいぬ》だ。再戦は二度と御免被《ごめんこうむ》る。

帰って死体の様に寝《ね》たい。

○　○　○

とは云《い》え寝る訳にもいかず、俺は小休止の後、再び出社した。事件の顚末《てんまつ》を報告する為《ため》だ。

探偵社の医務室で腹の傷を応急処置して貰《もら》ってから事務所に戻《もど》ると、既《すで》に太宰が居《お》り、一仕事終えた顔で茶を啜《すす》って居た。

「太宰。運転手は捕《と》らえたのだろうな」

「勿論《もちろん》。さっさと縛《しば》り上げて軍警に引き渡《わた》したよ。尤《もっと》も、犯人もこれでマフィアに暗殺されずに済む、って喜んでたけど」

安心した。太宰も当初の推量ほどには阿呆《あほう》でも無いらしい。

マフィア襲来《しゅうらい》と同時に別行動と称《しょう》し太宰が去った時は、『マフィア襲来を察知して逃げたか』とも疑ったが、結果八方丸く収まったのだから杞憂《きゆう》と云う事にしよう。

「ならば、一連の事件の犯人はあの運転手、という筋書きで幕か」

骨を粉にして駆《か》けずり回ったが、報酬《ほうしゅう》は無し。軍警から礼状と感謝の粗品《そしな》を下賜《かし》されて終《おわ》り、一件落着、と云った処《ところ》だろう。やれやれ。

「今日はもう働く気にならん。雑務を終えたら飲みに行くぞ」

「先輩《せんぱい》の奢《おご》り？」喜色満面の笑《え》みで太宰が訊《たず》ねる。

「厭《いや》な後輩《こうはい》だ。奢って遣るから明日は真面目《まじめ》に働け」

俺は自分の机に戻り、残務を処理する。

回覧された書類に目を通し、何箇所《なんかしょ》かに業務の電話を掛《か》ける。今回の件の報告書を認《したた》める。

何の気なしに見ると、業務用の電算筐体《コンピュータ》に電子書面《メール》が届いて居た。大して注意も払《はら》わず、読むともなく読む。

文章を目で追う。

最後まで読み、もう一度最初から読み直す。

「太宰」そう呼び掛《か》けて初めて、自分が呼吸をしていなかった事に気付く。

「飲みは中止だ。仕事が入った」

「えー？　私もうその積りになっちゃって、胃が酒杯《しゅはい》の形に凹《へこ》んでるよ」

「依頼《いらい》が来た。廃墟《はいきょ》に俺達を誘導《ゆうどう》した、例の匿名《とくめい》の依頼人からだ」

喉《のど》が渇《かわ》く。舌が張り付く。こんな言葉は云いたくない。

「依頼は、爆弾《ばくだん》解除。明日の日没迄《にちぼつまで》に爆弾を見つけ解除せねば、百人以上が死ぬ」

幕間《まくあい》 一・

深夜。

賑《にぎ》やかしくも愚かしい繁華街《はんかがい》、その常夜電飾《でんしょく》の煌《きら》めきを遠く眺《なが》める、静かな道沿い。

何者かが人知れず、車内に居た。

車は人気《ひとけ》の絶えた駐車場《ちゅうしゃ》に停《と》められている。

駐車された車の中で、その人物は光電素子《ダイオード》の蛍光《けいこう》に薄《うす》く照らされている。

「面倒《めんどう》な仕事は疾《はや》く済ませちゃおう」

誰《だれ》にともなく、独り呟《つぶや》く。

膝《ひざ》の上に置いた、薄型《うすがた》の薄型端末《ラップトップ》を打鍵《だけん》する。画面を文字列が埋《う》めていく。

「私、この手の電子遊びは苦手なのだけどねえ」

薄笑《うすわら》いと共に、彼の指が軽《かろ》やかに鍵盤《キーボード》を叩《たた》いていく。文字列が踊《おど》る。

「――けどまあ、こればかりは他人に任せる訳にいかない」

彼は薄闇《うすやみ》でひとり笑む。

「さて探偵社《たんてい》は、そして国木田君は、この陥穽《かんせい》を見破り——横浜の街を守る事が、出来るかな?」

彼——太宰は、車窓より外を見る。

波打つ黒い闇《やみわ》大海《だ》に、横浜の明滅《めいめつ》する街明かりが、逆しまに映って揺《ゆ》れている——

三.

十二日。

社中泊《しゃちゅうはく》にて夜を明かせり。

夜半独り眠《ねむ》らず、孤燈《ことう》に対《むか》つて座す。

夥《おびただ》しき人死に、又《ま》た夥《おびただ》しき人迷へり。

吾《われ》と彼ら何の相違《そうい》か有らん、皆天《みなてん》の一方地《いっぽうち》の一角《いっかく》に享《う》け、相携《あひたずさ》へて無窮《むきゅう》の天に還《かえ》る者に非《あら》ずや。

神よ教へ給《たま》へかし。

「全社報告議事を継始《はじ》めます」

卓《たく》を囲んで並ぶ出席者に声を掛ける。

此所《ここ》は応接間としても使用する、社の会議室だ。卓には事務員、調査員併《あわ》せて七名が列席して居る。探偵社のほぼ全主力と云っても良い。これだけの面子《メンツ》が一堂に会する事態は極《きわ》めて稀《まれ》だ。

俺は資料を繰《く》り、説明を行う。

「事の次第《しだい》は各員手許《てもと》の資料を参照して頂きたい。掻《か》い摘《つ》まんで申しますと、探偵社を標的とした脅迫《きょうはく》、それも悪辣《あくらつ》かつ周到《しゅうとう》な醜聞攻撃《しゅうぶんこうげき》が現在為《な》されています」

「探偵社がヤバいってのは、此所に居る皆知ッてるサ。爆弾事件とやらの概略《あらまし》を話しなよ」

声を上げたのは参列者の一人。社の専属女医師《じょいし》、与謝野先生だ。

「判《わか》りました。これが脅迫者から送られた電子書面《メール》です。犯人像にも繋《つな》がる為、是非《ぜひ》ご一読下さい」

俺は資料を広げる。印刷された文面には、慇懃《いんぎん》な文体で次のように記されて居た。

謹啓《きんけい》

貴社益々《ますます》ご繁栄《はんえい》のこととお慶《よろこ》び申し上げます。

過日ご支援《しえん》頂きました建造物調査の件、迅速《じんそく》なるご対応ご尽力《じんりょく》、厚く御礼《おんれい》申し上げます。早速《さっそく》では御座《ござ》いますが次の依頼を御願いしたいと存じます。

先程《さきほど》この市内某所《ぼうしょ》に於《お》きまして、或《あ》る大規模爆薬《ばくやく》を弊方《へいほう》にて設置させて頂きました。

就《つ》きましては市井《しせい》の安全の為、この爆弾を速《すみ》やかに発見、除去して頂きたく御依頼《ごいらい》申し上げます。

猶《なお》、この爆弾の起爆《きばく》刻限は明日の日没《にちぼつ》であり、その期限迄《まで》の事件解決を強く所望《しょもう》する次第です。

弊方《へいほう》にて製造させて頂きましたこの爆弾は、さる事件にて百余名の尊き人命を奪《うば》ったものと同じ爆弾で御座います。その事件での被害《ひがい》は酸鼻《さんび》極まるもので御座いました。

太陽が落下したかのような白光《びゃっこう》と消えぬ炎《ほのお》。居並ぶ建物は根刮《ねこそ》ぎ崩《くず》れ、人々は焼けながら逃げ惑《まど》い、路面は融解《ゆうかい》し、吹《ふ》き飛んだ車輌《しゃりょう》が建物に刺《さ》さって燃え盛り、誠《まこと》に地獄《じごく》の様相で御座いました。斯様《かよう》な惨状《さんじょう》を横浜の街に齎《もたら》さぬ為にも、探偵社の皆様《みなさま》には粉骨砕《ふんこつさい》身《しん》のご尽力を御願いしたく、重ねて御願い申し上げます。

蛇足《だそく》では在りますが、前回の依頼と同じく、探偵社様の御動向を映像にて蒐集《しゅうしゅう》させて頂いております。折悪《おりあ》しく爆弾解除が成らなかった際には、前回と同じく失敗の旨《むね》各所にて映像公開させて頂きますので、悪しからずご了承《りょうしょう》下さいませ。

末筆ながら、皆様のご健康とご多幸をお祈《いの》り申し上げます。

敬白

蒼《あお》の使徒

「……胸糞《むなくそ》の悪い文面だねェ」与謝野先生が吐《は》き捨てた。

「全くです。先日の廃《はい》病院に於ける監視《かんし》装置の事実を考えると、明らかにこの《蒼の使徒》と名乗る依頼人こそ、探偵社の評判を貶《おとし》める映像を各所に配布した犯人であり、今回の爆弾脅《ばくだんきょう》迫《はく》の主犯です。『探偵社が爆弾を見つけ解除出来なければ、前回と同じように失敗を世間に散《ばら》蒔《ま》く』との脅《おど》しと思われます」

「犯人の目的は探偵社の看板を貶める事か」社長が冷静に云《い》う。

「おそらく」

探偵社は幾度《いくたび》もの修羅場《しゅらば》を越《こ》えている。直接暴力では軍隊一個師団でもぶつけぬ限り陥落《かんらく》はするまい。

だが、営利企業《きぎょう》であり、依頼者からの信頼《しんらい》で成り立つ客商売である以上、この手の醜聞《スキャンダル》には脆弱《ぜいじゃく》にならざるを得ない。爆弾解除失敗の報道が過剰《かじょう》に広まり、司法介入《かいにゅう》でもされれば、探偵社の評判は地に落ち、看板を掲《かか》げるのが不可能な事態にまで追い込まれるだろう。

「爆弾の設置場所の目星は付かぬか」

「『爆発《ばくはつ》で百余名を殺傷可能な場所』と云う条件で、事務方が候補地点を洗い出しています。が、駅や楼閣《ビル》をはじめ候補地が無数にあり、その中から刻限までに爆弾を発見するのは至難《しなん》かと」

「監視映像の線からは如何《どう》だ」

確かに、犯人が脅迫文で云っている通り、探偵社の評判を落とすには『爆弾解除失敗』の映像を記録し、巷間《こうかん》に流す必要がある。その為に前回と同じ隠《かく》し撮《ど》りの装置を使う筈《はず》だ。

しかし――

「監視装置、或《ある》いは盗聴《とうちょう》装置、孰《いず》れも電池《バッテリー》型の最新装置を用いれば、数日分の映像・音声を蒐集することが可能です。形状も賽子《サイコロ》や万年筆程度と小さく、爆発で機能停止する直前まで情報《データ》を無線送信し続けます。爆弾以上に発見が難しい為、現実的には難しいでしょう。念のため、卸業者《おろしぎょうしゃ》にその手の装置の大量購入《こうにゅう》者がないか問い合わせて居ますが――」

現在のところ芳《かんば》しい回答は無い。

「《蒼の使徒》なる名に該当《がいとう》する犯罪者は」

「それも今のところ在りません」

《蒼の使徒》。最初の依頼と異なる点は、犯人が自ら名乗っている点だ。何かの意味が込められて居るやも知れん。

現状判明しているのは、《蒼の使徒》が爆弾について高い知識を持っている事、何故《なぜ》か探偵社を貶めようと策を固めている事だ。

「現在、協力機関に連絡《れんらく》して、爆弾の専門知識があり、かつ探偵社に怨《うら》みを持つ人物を抽出《リストアップ》して貰《もら》っています」

「乱歩さんへは未《ま》だ連絡が附かないのかい？」与謝野先生が訊《たず》ねる。

確か乱歩さんへは、社長自ら連絡《れんらく》をしている筈だが――

「今朝連絡が附いた。九州の事件も佳境《かきょう》のようだ。此方《こちら》へ戻《もど》る手筈《てはず》で居るが、日没に間に合うかは厳しい」社長が腕《うで》を組んで答える。

与謝野先生の云った乱歩さんとは、探偵社の主力調査員たる異能力者、江戸《えど》川《がわ》乱歩さんの事だ。殺人、傷害、誘拐《ゆうかい》に至るまで、事件に相対するだけで真相を看破する、『超《ちょう》推理』と云う凄《すさ》まじい異能力を所持して居る。今回の件も乱歩さんが居れば早晩《そうばん》解決の筈だ――が、生憎《あいにく》と

中央官吏《かんり》たっての依頼で九州に出張中だ。白髪《はくはつ》の死者が蘇《よみがえ》り妻と親友を殺害すると云う奇怪《きかい》な殺人事件を調査中であり、直《す》ぐに横浜へ戻れる状態ではない。

「例の、拘束《こうそく》中の運転手と接見は出来ぬのか」社長が三度《みたび》訊ねる。

「運転手は現在、軍警の特殊《とくしゅ》航空輸送機で上空を航行中です。マフィアの暗殺を警戒《けいかい》しての隔《かく》離措置《りそち》ですが、その為に面会は厳しいかと」

標的が空の上とあっては、さしものマフィアも手出し出来まい。だがその為に、今回の重要参考人であるタクシー運転手からの情報収集を困難にしている。

「軍警諜報《ちょうほう》部に話を通しておく。航空輸送機と通信し、質問事項《じこう》を文書で回答させよう」

「直ぐ書状を纏《まと》めます」

あの運転手が《蒼の使徒》であるとは考え難《にく》い。誘拐被害者《ゆうかいひがいしゃ》を監禁《かんきん》した場所を、奴《やつ》がわざわざ探偵社に書面《メール》で教える筈がない。運転手も自分の犯罪を《蒼の使徒》によって密告された、ある種の被害者なのだ。だが、だとすれば運転手と《蒼の使徒》との関係は何なのか。

孰れにしても、奴が何か知っている事を期待するしか無い。

「全員聞け。今回の事件は武装探偵社に対する卑劣《ひれつ》なる情報攻撃である。捜査《そうさ》の対象は二つ。攻撃者たる《蒼の使徒》の発見、及《およ》び爆弾の除去。最優先は、時間期限の有る爆弾だ。若《も》しこの爆弾の発見適《かな》わず人命が失われたならば、我等《われら》に探偵を名乗る資格は無い。之《これ》は社員としてではなく、一個の人間としての尊厳《プライド》を賭《か》けた戦いであると認識《にんしき》せよ。捜査開始」

社長の号令と共に、全員が立ち上がり行動を開始する。

○　○　○

呼吸する暇《ひま》もない様な慌《あわ》ただしい捜査が始まった。期限は今日の日没。それまでに市中の何処《どこ》に有るとも知れぬ爆弾を探し出すのだ。時間が足りん。

調査の最中《さなか》に思い出し、電話を取る。六蔵少年に、第一の依頼書面《メール》を逆探知する様指示して居たのだ。あの調査が実を結んで居れば、事件は一気に進展する。

長い呼び出し音の後、六蔵少年が電話を取った。

「はぁーい……こちら田口ィ。ただいま留守に……ふあーぁ、留守にしております。ンじゃ」

「おい巫山戯《ふざけ》るな。火急の用だ」

「何だ……眼鏡《メガネ》かよ。何時だと思ってンだ？　まだ朝の九時だぞ」

「朝九時に寝《ね》て居るのはお前だけだ社会不適格者。早寝早起きして外に出ろ。不健康だぞ」

「何だよ偉《えら》そうに。お前は己等《オイラ》の親父《おやじ》かよ」

「違《ちが》う。俺は——」

お前の父親には成れん。

そう云いかけて、言葉を飲み込む。

「兎《と》に角《かく》、事態が変わった。例の依頼《いらい》文を出した主《ぬし》を、速《すみ》やかに見付けねばならん。調査に進展は有るか」

「あれなア。思ったより難題だぜ。専門的な話は省くが、何重にも迂回拠点《ハブ》を嚙《か》ませて発信元が判《わか》らないように細工してやがる。素人《しろうと》の悪戯《いたずら》じゃねエぜありゃ」

相手が素人でない事は既《すで》に実感を持って確認済みだ。

「同じ発信者から第二の電子書面《メール》が来た。これと併《あわ》せて発信元を特定出来んか？」

「可能性は高まるけど、やってみん事には判らんね。――尤《もっと》も、手が他《ほか》に無《ね》ェ訳《わけ》じゃないぜ」

「どう云う意味だ」

「迂回拠点《ハブ》に仕掛《しか》け指示式《プログラム》を潜《もぐ》り込ませるのさ。そこから更《さら》に発信元を逆探知する。手間は掛かるが確実性は高《たけ》ェよ。ただし、ちょっとばかし法に触《ふ》れるがね」

「構わん。大事の前の小事だ。やれ」

「おっと。良《い》いのかい？　潔癖症《けっぺきしょう》の眼鏡《メガネ》らしくねえな。今の会話録音したぜ。今の通話と引換《ひきかえ》に、己等《オイラ》が探偵社に侵入《しんにゅう》した時の記録を渡《わた》せ、つったらどうする気だよ」

「その時は渡す。だから疾《はや》くやれ」

元より、あの記録を官憲に提出する気は無かった。交換《こうかん》の口実を造る為《ため》に態《わざ》とした失言だったが、六蔵少年はそこまで気付かなかったようだ。

「太っ腹だな眼鏡《メガネ》。ちゃんと依頼料は別に払《はら》えよ」

そう云《い》って電話は切れた。

切れた受話器を持って暫《しば》し黙考《もっこう》する。

感傷に浸《ひた》る暇は無い。最優先はあくまで爆弾《ばくだん》。刻限迄《まで》に確実に発見せねば、最悪の死傷者を出す大災害となる。だと云うのに今は何の手掛《てが》かりも無い。

糞《くそ》、こんな時に太宰は何処に行ったのだ。

○　○　○

繁華街《はんかがい》を探すと、太宰は程無《ほどな》く見付かった。

通りに面した古風な珈琲喫茶《コーヒーきっさ》で、女性を口説いて居た。

「横浜《こっち》は初めてでしょう？　善《よ》かったら街を案内するよ」

「申し訳ありません、私の為に……ですが宜《よろ》しいのですか？　探偵社様は爆弾騒《ばくだんさわ》ぎで大変な事態のご様子。国木田様も早朝より、連絡に調査にとお忙《いそが》しそうでしたが」

「国木田君は仕事の鬼《おに》だからねえ。知ってる？　あの人十二時頃《ごろ》で約束すると、前後十秒の誤差で到着《とうちゃく》するらしいよ。鉄道列車みたいだよね」

「まあ……そうなのですか？」

「コラ太宰！　仕事をサボるな。そして俺の話を女性を口説く談話《トーク》のネタに使うな」

「あとね。国木田君、この前の廃《はい》病院の時に、幽霊《ゆうれい》に怯《おび》えて少女のような涙声《なみだごえ》で——」

「聞けよ！」

　佐々城女史と楽しげに会話していた太宰の後頭部を、高らかにしばき回す。

「痛っ！　何するんだい国木田君。あれ国木田君、いたの？」

「いたの？　ではない。判ってて続けただろうお前。探偵《たんてい》社の緊急《きんきゅう》事態に何をお前はお洒落《しゃれ》逢引《デート》などして居るのだ。しかも相手は事件の被害者だぞ」

「羨《うらや》ましい？」

「羨ましくない！」

　断じて決して、羨ましくなどない。

「厭《いや》だなあ。彼女は犯人に殺されかけ、心に傷《トラウマ》を負った被害者だよ？　彼女を警護し、かつ心の手当《ケア》をする事こそ、探偵社として重要かつ喫緊《きっきん》の任務じゃあないか。あと経験上、辛《つら》い目に遭《あ》って傷ついた女性と云うのは優《やさ》しさと笑顔《えがお》と包容力で落とせる」

「最後の台詞《せりふ》で凡《すべ》て台無しだ阿呆《あほう》」

……一応、後で手帳にメモしておこう。

「だが、軽佻浮薄《けいちょうふはく》が服を着て歩いているようなお前に出番があるのか？」

此程《これほど》の美人であれば恋人《こいびと》のひとり位居るだろう。

「そう思うから国木田君は国木田君なのだよ。聞けば佐々城さんは親類もなく、頼《たよ》れる親しい人も居ないそうだよ。唯一《ゆいいつ》の恋人とも、少し前に別れたのだとか」

――頼れる者がないとは聞いてはいたが、其程《それほど》までだったか。

「だから国木田君、いけるよ」若気《にやけ》た顔の太宰が俺の脇腹《わきばら》を肘《ひじ》で突《つつ》く。

「何がだ」

何の事やら判らない。……という顔を作る。

「いいか太宰。俺が此所《ここ》に来たのは、朝の会議をサボったお前に状況《じょうきょう》を説明して遣《や》る為だ。次サボったら、太宰が自殺した時、迅速《じんそく》かつ適切な処置をして無事蘇生《そせい》させるからな」

「うわ、国木田君、えげつないこと考えるね……」厭そうな顔をする太宰。

太宰の表情に満足した俺は、手持ちの書類を卓上《たくじょう》に並べていく。

「最新情報だ。誘拐《ゆうかい》犯の運転手を、軍警が聴取《ちょうしゅ》した際の供述記録が届いた。奴は廃病院に失踪《しっそう》者を監禁し、逃亡《とうぼう》防止用の瓦斯《ガス》を仕掛けた事を認めたそうだ。ただし認めたのはそこまで。隠《かく》し撮《ど》りの監視《かんし》装置を仕込んだ覚えはないと云っている。奴がこの期《ご》に及んで嘘《うそ》を吐《つ》くとは考え難《にく》い。つまり」

「犯人は少なくとも二人居るって訳だね。誘拐した奴と、撮影《さつえい》した奴。前者が運転手で——後者が《蒼の使徒》かな？」

「恐《おそ》らくな」

「あのう」佐々城女史が恐る恐る声を掛ける。

「このような話、私が聞いても宜しいのでしょうか？　探偵社様の捜査《そうさ》機密ですとか……関係者外秘などに抵触《ていしょく》するのでは」

「佐々城さんは被害者《ひがいしゃ》だし、立派な関係者だよ。気にすることはない。でなきゃあ規則の鬼たる国木田君が、君の前で説明を始めたりしないさ」

「俺は別に規則に厳しくは無い。普通《ふつう》だ」

「ね？　こんな風に、偶《たま》に素敵《すてき》な冗句《ジョーク》も飛ばしてくれる愉快《ゆかい》な先輩《せんぱい》だよ。で、それで？　他に私達が追う犯人の手掛かりは？」

「普通だ」

「……御免《ごめん》。普通だね、うん。説明続けて」

何故《なぜ》か謝られた。

「では続けるが、件《くだん》の運転手の経歴を洗った結果だ。情報を見る限り、奴《やつ》は裏社会などとは何の接点も無い、極《ご》普通のタクシー運転手だったようだ。犯罪歴も怪《あや》しい交友も無い。そんな奴が単独で誘拐を思い付き、臓器密売組織《シンジケート》の調達人《バイヤー》に渡りをつけたとは考え難い。奴に臓器売買と云う『儲《もう》け話』を伝授した奴が居る」

「そいつが《蒼の使徒》？　だったら運転手に名前訊《き》けば良いじゃない」

「それだけは云えんそうだ。云えば今度こそ消されるからと——体毛を凡《すべ》て引き千切ってでも吐《は》かせたいが、生憎《あいにく》奴は空の上で厳重警備されて居る。軍警に接見の根回しをしている内に、刻限の日没《にちぼっ》になってしまう」

一体、今回の犯人は何者なのだ？

運転手に臓器密売の話を持ち掛け、廃病院に監視装置を仕掛け、爆弾を製造したうえでどこかに仕掛け、そして探偵社を脅迫《きょうはく》しようとしている。奴の目的は一体何だ？

「済みません。差し出がましいとは思いますが……」黙《だま》って聞いていた佐々城女史が云う。「先程から伺《うかが》っていた《蒼の使徒》なる人物ですが……かの《蒼色旗の反乱者《そうしょくきテロリスト》》事件の犯人ではないでしょうか？」

「あの事件か」

《蒼色旗の反乱者《そうしょくきテロリスト》》事件。

六蔵少年の父親が殉職《じゅんしょく》した事件だ。

俺も『蒼《あお》』の一字《いちじ》を見た瞬間《しゅんかん》、奴の仕業《しわざ》ではと一瞬《いっしゅん》疑った。

「だが事件の首謀者《しゅぼうしゃ》たる《蒼王》は自ら爆発《ばくはつ》で死んだ筈《はず》だ。死者が生者を脅《おびや》かす事は出来ん。この世の真理だ」

「好《い》い事云うねえ国木田君。じゃあ幽霊なんて怖《こわ》くないね」

「幽霊の話は二度とするな」

「ですが……爆発は甚大《じんだい》で、《蒼王》の遺骸《いがい》は跡形《あとかた》も無かったと聞きます。あるいは死を偽装《ぎそう》して逃亡し、今も何処《どこ》かに隠伏《いんぷく》して居るのでは……」

それに関しては俺も気になり、軍警に問い合わせた。だが回答は否《いな》。

「軍警の現場解析《かいせき》班に依《よ》ると、《蒼王》が爆発現場で死亡した事は間違《まちが》い無いそうだ。彼等《かれら》の解析技術は確かだ。それに同胞《はらから》たる警官が巻き添《ぞ》えで殉職した現場で、彼等《かれら》が間違いや見落としをするとは思えん」

「しかし……」

「私さ、《蒼王》について其程《それほど》知らないのだけど、そんな、探偵社に復讐《ふくしゅう》せんが為《ため》地獄《じごく》の底から這《は》いずり戻《もど》るような輩《やから》なの？」

不勉強な奴だ。俺は仕方なく説明する。

蒼王とは、政府施設《しせつ》を狙《ねら》った襲撃《しゅうげき》・破壊《はかい》事件、《蒼色旗《そうしょくき》の反乱者《テロリスト》》事件の首謀者である。国内の単独犯罪者としては規模・影響《えいきょう》共に大戦後最悪の反乱者《テロリスト》と云われた。

蒼色旗を掲《かか》げる前、蒼王は唯《ただ》の優秀《ゆうしゅう》な国家官僚《かんりょう》だったそうだ。

最高学府を首席で卒業し、海外留学の後、中央文官として行政と立法の世界に青雲《せいうん》の志《こころざし》を抱《いだ》く、極《ごく》当たり前の青年。それが何故破壊に依《よ》る粛正《しゅくせい》を志向するようになったのか、真相は定《さだ》かではない。

或《あ》る日、国内の主要放送局に、一本の録画映像が送り届けられた。それは染め抜《ぬ》きの蒼色旗で顔を隠した青年に依る犯行声明であった。放送で青年は自らを《蒼王》と名乗り、不完全な世界を嘆《なげ》き、不完全さは不完全さで埋《う》め合わせるしかない、と説いた。

『吾《われ》らがいかに希求しようとも、隣人《りんじん》は病《や》み、父母は死に、悪人は極《ごく》一部しか裁かれぬ。

ならば希求しよう、理想の世界を。

神の御手《みしゅ》ではなく、不完全な吾《われ》らの血塗《ちぬ》られた手に依って』

その宣言と同時に、国内三箇所《かしょ》の政府施設が攻撃《こうげき》された。市警関連施設への放火、走行自動車への追突《ついとつ》、軍警屯所《とんしょ》への爆破《ばくは》である。後の調べで、攻撃の被害者はそれぞれ、八人を殺したが検察の書類不備で無罪と成った殺人犯、途上国《とじょうこく》難民支援《しえん》予算を私的に着服したと噂《うわさ》される与《よ》党《とう》議員、若き憲兵《けんぺい》員を暴行の末殺し組織的に隠蔽《いんぺい》したとされる軍警小隊だと判明した。そしてその全員が、攻撃により死亡した。

彼は法で裁かれぬ犯罪者を、犯罪行為《こうい》に依って断罪したのだ。

この電撃《でんげき》作戦には誰《だれ》もが驚愕《きょうがく》した。警備厳重、高度な防御網《ぼうぎょもう》を敷《し》かれた政府施設を同時複数破壊したのだ。誰もその様な攻撃が可能だとは想像だにしていなかった。

その後も蒼王の犯行、そして断罪は繰《く》り返された。

完全に面目《めんぼく》を失った軍及《およ》び政府当局は蒼王の速《すみ》やかな発見と捕縛《ほばく》を全国に指示。探偵《たんてい》社にまで応援要請《おうえんようせい》が及んだ。

その後のことは先に話した通りだ。潜窟《アジト》の発見、突入《とつにゅう》と自爆《じばく》。死者の堆《うずたか》き亡骸《なきがら》の上に築かれた解決。

「だが、犯人が蒼王だとすれば、何故探偵社の信用失墜《しっつい》を此程執拗《これほどしつよう》に狙うのか不明だ」

「恨《うら》まれてるのは君じゃないの、国木田君？」

蒼王が、俺を？

確かに蒼王に追い付く直接の情報を得たのは俺だ。俺が市警に居場所を連絡《れんらく》し、捕縛班が動いた。だが――真逆《まさか》。

国内犯罪史上最悪の反乱者《テロリスト》、《蒼王》の――亡霊《ぼうれい》。

《蒼王》は死して猶《なお》、己《おの》が怨嗟《えんさ》を晴らさんが為に、俺と探偵社に復讐の手を――

「孰《いず》れにせよ、相手の正体が知れるまでは警戒《けいかい》したほうが良いね。誰が何時《いつ》狙われるか知れないよ。佐々城さんも安全な処《ところ》に匿《かくま》わないと」

「となると探偵社屋《たんていしやおく》か？　しかしあそこは夜間は無人だぞ。何処《どこ》に――」

唐突《とうとつ》に、俺は太宰の奸計《かんけい》に気付いた。

「真逆《まさか》お前、護身安全の為と言いくるめ、御婦人《ごふじん》を自分の部屋に囲《かこ》う心算《つもり》ではないだろうな。許さんぞ貴様、連日連夜に及《およ》んでそのような淫奔《いんぽん》な、いかがわしい、不健全な関係は。獣《けもの》か貴様。全くけしからん、俺ならもうちょっと、こう、相手を労《いたわ》った――」

「待った国木田君。私、佐々城さんとは何も無いよ？」

「は？」

「だからさ。初日に泊《と》めた時も私は隣室《りんしつ》で休んだし、以降も指一本触《ふ》れて居ないのだよ。幾《いく》ら何でも殺されかけた日に口説くのも非常識でしょう。手強《てごわ》い先輩の目もあるし」

あれ……そうなのか？　では、俺の早合点《はやがてん》か。

「まあ国木田君が勘違《かんちが》いしてるのは知ってたし、面白《おもしろ》いから放置してたのは事実だけど」

こいつは……。

しかし、俺のような無雑《むざつ》にして清廉《せいれん》なる真人間がこの手の誤謬《ごびゅう》に陥《おちい》った場合、「一晩泊めただけではしたない勘繰《かんぐ》りをするなんて、国木田君はムッツリスケベだねえ」の一言で凡《あらゆ》る正論を封《ふう》じられ、反駁《はんばく》出来ず悶死《もんし》するしかない。それが無かっただけ善《よ》しとするか。

……するだろう、勘繰り。太宰だぞ？

何にせよ、太宰が女性と見ればすぐ手を出すような阿呆《あほう》でなかったのはせめてもの救いだ。事件の被害者《ひがいしゃ》との距離感《きょりかん》は難しい。

「紛《まぎ》らわしい云《い》い方をするな。何も無いならそれで善《よ》い。これからも事件の関係者とは程々《ほどほど》の距離を取り、適切な関係を築け。それが専門家《プロ》と云うものだ」

「……判《わか》った」

太宰は聢《しっか》りと頷《うなず》き、それから佐々城女史のほうを向いて云った。

「ところで佐々城さん、好きな男性の傾向《タイプ》とかあるの？」

「お前の『判った』は何語《なにご》だ!?」

前言撤回《てっかい》。此奴《こいつ》は唯の女好きだ。

「た、傾向《タイプ》ですか……？　私が男性に何か傾向《タイプ》を求めるなど烏滸《おこ》がましくて大変恐縮《きょうしゅく》ですが……その、理想に燃え、何かに打ち込む男性など、非常に素敵《すてき》に……感じます」

なんだって。

「あー、駄目《だめ》だよ、完全にそれ国木田君じゃない、私、脈ないじゃない。ちぇっ、じゃあ後は二人でお話《はなし》しててよ。私は両手の指の数を点検してるから」

「こ、こら太宰！　勝手に会話から離脱《りだつ》するな！」

「ちょっと何するのさ、何本数えたか忘れたじゃないか」

「拗《す》ねるな！　善《い》いから戻って座れ！」

このタイミングで二人きりにされたら、何を話していいか判らんではないか！

「ですがその……私などは普通《ふつう》の女ですから、理想が為に邁進《まいしん》する方の傍《そば》にいても何のお役にも立てず、理想を支えようと心を砕《くだ》いても、空回りしてお互《たが》い疲《つか》れ果ててしまうばかりで……挙げ句、理想との二者択一《にしゃたくいつ》で捨てられて仕舞《しま》いました。ですので、理想主義の方とお付き合いすることは、今後控《ひか》えようと思っております」

儚《はかな》げに微笑《ほほえ》む佐々城女史。何《なん》だ……。

「国木田君は表情が判りやすいなあ」

「お、俺は別に何も思っていないぞ！　あっち向け太宰！」

「痛《い》だっ！」

太宰の首を無理矢理《むりやり》捻《ひね》って、明後日《あさって》の方向を向かせる。

「来いって云ったりあっち向けって云ったり、ややこしいなあ。元の話に戻そうよ」

……何の話だったか？

「ああ、佐々城女史の安全の話だ。一応、警察関係に伝手《つて》が無いわけではないが……」

「あの……宿泊《しゅくはく》のお世話までして頂いて、お心遣《こころづか》い嬉《うれ》しいのですが、矢張《やは》りご迷惑《めいわく》が……今日からは何処《どこ》か、宿泊亭《ホテル》など見付けますので、どうかお気遣《きづか》いなさらずに」

「いかん。宿泊亭《ホテル》は安全とは云えんし、件《くだん》の事件の後で縁起《えんぎ》が悪い。かと云って太宰の自室では、何時《いつ》こいつが淫獣《いんじゅう》と化《か》すか知れん。拙宅《うち》に来い」

「え？」

「いや、べ、別に疚《やま》しい動機などは無いぞ！」

「いや、今の話の流れではどう考えても疚《やま》しさ大奔流《だいほんりゅう》でしょ。諦《あきら》めが悪いなあ」

「違《ちが》う！　俺はただ純粋《じゅんすい》に」

「あっはっは、嘘《うそ》だよ。佐々城さん、国木田君の家なら安全は確実だ。それに大丈夫《だいじょうぶ》、国木田君にそんな度胸ない……じゃなかった、彼は理想に生きる高徳《こうとく》の人だから。彼の手帳見る？　国木田君の理想の女性像、凄《すご》いよ」

太宰が佐々城女史に手帳を手渡《てわた》す。はっとして俺は自分の衣嚢《ポケット》を叩《たた》く。俺の手帳が無い。

「太宰！　お前何時《いつ》の間に掏《す》った⁉」

「ほら、その頁《ページ》」太宰が手帳を開いて指差す。

「あら……宜《よろ》しいのですか、このような」

「興味あるでしょ」

「ええ……まあその、偽《いつわ》らず申しますと、少し気にはなりますが」

照れ笑いと共に手帳の文言を目で追う佐々城女史。

徐々《じょじょ》に顔色が消えていく。

「え、これは如何《どう》いう……成る程。でもこれは……」

理想の女性像。

手帳八枚、十五項目《こうもく》。五十八要素に及ぶ超《ちょう》大作である。

「えっ……あ、つまり……うーん、あー……」

太宰の言葉を思い出す。

『その頁《ページ》絶対女性に見せない方が良《い》いよ。引くから』

佐々城女史が読み終わり、再び顔を上げた時、そこには先程の笑《え》みは無かった。

あるのは唯《ただ》、彫刻《ちょうこく》された石膏《せっこう》のごとき、生命力の枯渇《こかつ》した極低温《きょくていおん》の微笑《スマイル》。

「国木田様」

「はい……」

「**これはないです**」

誰《だれ》か酒持って来い。

○ ○ ○

○ ○ ○

本邦《ほんぽう》の中心、経済政治の中央機能が揃《そろ》う首都東京の地。

その建造物には様々な種類の人間が出這入《ではい》りしていた。褐色《かっしょく》、白色、多種多様な人種の異邦人《いほうじん》が立ち働いている。

そこは駐日合衆国大使館。

本邦領内《りょうない》に於《お》ける、最も広い外国領土《とっくに》である。

一般《いっぱん》訪問者が並ぶ待合所には、午後過ぎにも拘《かかわ》らず人々が黙《もく》し順番を待つ。皆審判《みなしんぱん》の時を待つように押し黙《だま》り、当人以外には見えぬ概念《がいねん》上の何かを凝然《じっ》と睨《にら》んでいる。

据《す》え付けの薄型液晶《うすがたえきしょう》では米国野球聯盟《メジャーリィグ》の実況《じっきょう》が映し出されており、黒帽子《ぼうし》を被《かぶ》った壮年《そうねん》の白人男性が、気怠《けだる》げに贔屓《ひいき》の球団が失点したのを詰《なじ》っていた。

俺は、横の太宰を見る。太宰は実に嬉しそうに笑っている。今から継始《はじ》める作戦が、楽しみで仕方ないのだろう。笑い事ではない。

「国木田君、準備はいいかい？」

「既《すで》に胃が痛い。頼《たの》むから失策《しくじ》るな。下手《へた》をすれば俺達二人共、国際法で裁かれるぞ」

「国際犯罪者……何か恰好《かっこう》良いね。じゃ行ってきます！」

「こら、おい！」

湧出《ゆうしゅつ》する不安に太宰を止めようとしたが、太宰は既に受付に向かい歩み出していた。

尚《なお》、太宰の衣装は接《は》ぎだらけの襤褸《ぼろ》襦袢《じゅばん》、俺は紺《こん》の高級背広に首巻布《ネクタイ》である。

太宰は大使館員が働く受付の前に立つと、開口一番、大音声《だいおんじょう》でこう云《い》った。

「ねぇー、まーだーなーのぉぉぉー⁉　もう六時間も待ってるのだけどぉー！」

周囲の人間が振《ふ》り返る。邦人《ほうじん》女性の受付員が目を白黒させる。

「やだやだやだ、もうやだよ私、これ以上待たないよ！　今すぐ偉《えら》い人寄越《よこ》してよ！」

太宰は手足をバタつかせ、受付に向かってゴネ続ける。作戦とは云え、いい年の大人が遣《や》ると、あまりの情けなさに見ている此方《こちら》が吐血《とけつ》しそうだ。俺ならば、あれを遣《い》る位なら自ら毒を呷《あお》って死ぬ。

「あの、申し訳有りませんが、御用向《ごよう》きは」

受付職員の邦人女性は混乱し乍《なが》らも訊《たず》ねた。健気《けなげ》な応対だが、相手が悪い。

「だからあ、先刻《さっき》から云ってるでしょう！　亡命だよ、ボーメイ！　私は、貴君らの誉《ほま》れ高き連邦《れんぽう》共和合衆国に亡命を心底より希《こいね》がうものであります！　それなのに先刻《さっき》から待てど暮らせどさあ！　それとも受け入れ拒否《きょひ》？　拒否ですか？　一介《いっかい》の事務員が斯様《かよう》なる政治判断を為《な》すなど越権行為《えっけんこうい》も甚《はなは》だしいぞお姉さん！」

「貴様、何を騒《さわ》いでいる！　大使館内での擾乱《じょうらん》は重罪だぞ！」

当然の事ではあるが、入口にて警備を行う警備員が太宰に向け駆《か》け寄って来る。

俺の出番だ。

「待て。私はそこで騒ぐ男の連れだが、君達は彼を捕縛《ほばく》する権限が有るのか？」

駆け寄る警備員の前に俺は立ちはだかる。

「領事関係に関するウィーン条約、第三十一条第二項《こう》！　『接受国の当局は、領事機関の長若《も》しくはその指名した者又《また》は派遣《はけん》国の外交使節団の長の同意がある場合を除くほか、領事機関の公館で専《もっぱ》ら領事機関の活動のために使用される部分に立ち入つてはならない』！　彼が領事機関の長に邪魔者《じゃまもの》と認定《にんてい》されるまでは、彼は大使館の賓客《ひんきゃく》だ。彼のイチャモンを許可無く止めれば国際問題になるぞ！」

一喝《いっかつ》され、当惑《とうわく》する警備員。

当然彼等もウィーン条約程度は知悉《ちしつ》しているだろうが、いきなり『国際問題だ』と恫喝《どうかつ》されれば、尻込《しりご》みするのが人情と云うものだ。

「亡命ぃーー！　うーえーのーひーとー！」

警備員に止められぬことを幸いとばかりに、受付前の床《ゆか》に転んで手足をジタバタさせる太宰。

凡《すべ》て作戦内の行動だが、無闇《むやみ》に殺意の湧《わ》く動作である。

さて、何故《なぜ》我等《われら》武装探偵《たんてい》社が、格調高き在外公館にして外交の要衝《ようしょう》である大使館に於《お》いて、五歳児のオモチャ買って攻撃《こうげき》を敢行《かんこう》して居るのかと云うと。


「爆弾魔《ばくだんま》は国外の人間？」

俺は訊ねた。先程《さきほど》と同じ、表通りの珈琲喫茶《コーヒーきっさ》である。

「そう。しかも専門家《プロ》だ」太宰が珈琲《コーヒー》を啜《すす》りながら答える。

太宰がそう指摘《してき》したのは、佐々城女史が大學《だいがく》の同僚《どうりょう》より連絡《れんらく》を受けた直後であった。

「私の大學での専攻《せんこう》は犯罪心理学なのです。何かお役に立てる情報が有るかも知れません」と女史は云った。

何でも佐々城女史はこの世界では少しは知れた犯罪学の研究者なのだと云う。有名な学会で幾度《いくど》か表彰《ひょうしょう》され、有能な若き助教授なのだそうだ。故《ゆえ》に同業者の資料から、過去の類似《るいじ》犯罪に就《つ》いて独自調査をして呉《く》れていたのだ。

「同僚の犯罪学者が過去の事例に当たったところでは、この脅迫《きょうはく》文にあるような、百名を超《こ》える爆弾事件は日本国内には無いそうです。……勿論《もちろん》、先の大戦による戦死者を除いて、の話ですが」

「では海外の事件か？」

「はい。……海外では、政治闘争《とうそう》、思想《イデオロギー》によるテロなど、過去に数十件の爆弾事件が起こって居ます。ですがその詳細《しょうさい》、爆弾の種類や製造者までは、資料が残って居ない事が殆《ほと》んどで……すみません」

「いや、良い情報だよ。つまり爆弾を造った《蒼の使徒》は、その爆破《ばくは》事件の爆弾構造や組成を知っていた訳だ。犯人像に一歩近付いたんじゃないかな？」

「しかしな。俺達はその犯人が、爆弾を何処《どこ》に仕《し》掛《か》けたか、まで解明せねばならんのだぞ。この調子で間に合うのか？」

せめて、犯人の顔と名前までは知る必要がある。でなければ捜査《そうさ》の仕様がない。

太宰は口元に親指を当て、何か考え込んでいる。

「この犯人は、姿を隠《かく》して……決して見付からない」不意に太宰がそう呟《つぶや》いた。「私が……やるしかないか」

「何がだ？」

「ねえ国木田君。脅迫文には、はっきりと爆弾を『製造』したって書かれているよね。でも百人以上を殺傷する爆弾なんて、そう簡単に造れるのかな」

「一般人には難しいが、専門知識が在れば簡単だろうな」

俺は理数系の学問を修め、かつこの探偵社と云う荒事《あらごと》業務を続ける為、或《あ》る程度の危険化学物質に就いての知識を有している。

爆弾となる薬品製造は慎重《しんちょう》を極《きわ》め、温度や衝撃《しょうげき》などの条件管理が厳しい。少し手順を間違《まちが》えば生成途中《とちゅう》に爆発《ばくはつ》する。だが材料自体は単純で、小学校の理科室級《レベル》でも手に入る物が多い。塩酸、硝酸《しょうさん》、窒素《ちっそ》肥料、アルミニウム。合法で安価に入手出来るものばかりだ。爆弾製造で問題となるのは配合比率と生成手順、そして運搬《うんぱん》と起爆《きばく》技術である。

「一説には、爆弾を製造する専門家《プロ》にはそれぞれ独自の配合比《レシピ》があり、それが爆弾売買の際の信頼銘柄《ブランド》ともなっていると聞くが――」

「そこだよ。だから『過去の事件に使われたのと同じ構造の爆弾』なんて、そう簡単に造れない筈《はず》なのだよ」

「では……過去に百余名を殺した爆破事件と今回の事件、同じ人間が爆弾を造った……そう云いたいのか？」

「それだけじゃない。脅迫文にあった爆発の描写《びょうしゃ》、妙《みょう》に視覚的な現実感《リアリティ》があったと思わないかい？」

俺は文面を再び眺《なが》める。『太陽が落下したかのような白光《びゃっこう》と消えぬ炎《ほのお》。居並ぶ建物は根刮《ねこそ》ぎ崩《くず》れ、人々は焼けながら逃《に》げ惑《まど》い、路面は融解《ゆうかい》し、吹《ふ》き飛んだ車輛《しゃりょう》が建物に刺《さ》さって燃え盛り——』

「私思うんだけど、この文章を書いた人、実際にこの光景を見てるんじゃないかな」

「何？」

「佐々城さん。過去に何件かあった海外の爆破事件で、爆発の様子まで記録された報道映像って有る？」

「いえ……流石《さすが》に無いようです。これだけ大規模な爆発となると、巻き込まれた人は撮影《さつえい》どころではないでしょうし」

「普通《ふつう》そうだよね。でもこの脅迫文の表現は、しっかりと爆発後の市街を描写してる。それも表現からして、爆発から数分後の様子みたいだよ。この人、爆弾を設置して逃げた後、現場に戻《もど》って来たんじゃないかな。それでこの景色を見た」

「つまり……その過去の爆破の犯人もまた、この《蒼の使徒》だと云いたいのか？」

だとすれば犯人像は絞《しぼ》られる。爆弾の専門家《プロ》で、過去の爆破事件の際海外に居《お》り、そして今日本に入国している人物。だが——

「何で？」

「駄目《だめ》だ。それだけでは判《わか》らん」

「お前はサボっていたから知らんだろうが、既《すで》に公安や軍警の協力機関に、国内の爆弾製造専門家を洗って貰《もら》っていたのだ。結果は容疑者なし。百人以上を殺傷出来る程の高純度の爆薬《ばくやく》精製技術を持ち、かつ行動を監視《かんし》出来ていない製造技術者は、国内の候補者リストには無いそうだ。かと云《い》って、今から国内の外国人を片《かた》っ端《ぱし》から訪ねて回る訳にもいかん」

「うふうん」太宰が若気《にやけ》る。

「何だその気持ち悪い笑いは」

「時に軍警ですら助力を請《こ》う名高き探偵社と謂《い》えど、覗《のぞ》き見の許されない名簿《リスト》が有る。海外の諜報《ちょうほう》機関の情報だよ。彼等ならきっと、過去の爆弾事件の容疑者を把握《はあく》してる」

「海外諜報機関だと？」

海外諜報機関と云えば、米国の中央情報局《CIA》や米国国家安全保障局《NSA》。英国の秘密情報部《MI6》等が有名だ。自国の安全と繁栄《はんえい》の為、各国で身分を隠して秘密活動を行っている。しかし——

「海外の諜報機関が、日本の民間企業《きぎょう》の為に自分達の秘密情報を『どうぞ』と渡《わた》す筈がない。第一お前、諜報機関の知り合いが居るのか？」

「いないね」

「そら見ろ」

「けど、どこに行けば逢《あ》えるかは知ってるよ」

——厭《いや》な予感がした。


と云う訳で、俺達は大使館への隠密潜入《おんみつせんにゅう》作戦を敢行したのである。

太宰の立てた計画は単純《シンプル》だ。

大使館で悶着《もんちゃく》を起こす。

巧《うま》く運べば、事態を収拾《しゅうしゅう》する為《ため》により上位の人間と接見可能となるだろう。その高官と交渉《こうしょう》する。国外で活動する諜報員にとって自国大使館は拠点《きょてん》にして安寧《あんねい》の地だ。大使館ならば必ず諜報員との繋《つな》がりが有る。

確かに無茶《むちゃ》で強引《ごういん》な手段だ。

しかし太宰が立てたこの策で、八方塞《はっぽうふさ》がりの捜査に一縷《いちる》の望みが生まれたことも確かである。

太宰と仕事をする中で感じて居た事だが、太宰が時折見せる思考の速さ、深さには目を瞠《みは》るものがある。太宰は底が見えん。あの奇矯《ききょう》な振《ふ》る舞《ま》いの奥に潜《ひそ》んだ、薄《うす》ら寒い何か——悪魔的《あくま》知性を感じずにはいられない。

何の経歴も持たない風来人とは迚《とて》も思えん。聞いても毎度逸《はぐ》らかされる為《ため》問い詰《つ》めてはいないが、太宰は何か後ろ暗い経歴を持って居るのではないか？　それこそ何か、非合法の——

「ねぇー、太宰は何か亡命させてよー受付のお姉さーん！　ねぇこっち見て聞いてー！　目を逸《そ》らさずに私を見てー！　そう、その目！　もっと見てホラ！」

——ないな。ただの阿呆《あほう》だ。

「あの、それでは、順番待ちの書類に記入を……」受付女性が恐《おそ》る恐る紙片《しへん》を取り出す。

「それ先刻《さつき》も書いたよ！」太宰が大声で喚《わめ》く。勿論嘘《もちろんうそ》だ。「この愛用の万年筆で、小さい項目《こうもく》までびっしり書かされて、それで何も進展が無いから直談判《じかだんぱん》してるんじゃないか」

太宰は胸の衣嚢《ポケット》から太い黒の万年筆を取り出して見せる。

「この愛用の万年筆、さる中東の独裁者が使って居たのと同じ型《タイプ》なのだよ。凄《すご》い？　見ても善《い》いよ。ほら、高くて、重くて、滅茶苦茶《めちゃくちゃ》書き難《にく》いの。これでその細かい書類を何度も書かされたら、そりゃあ怒《おこ》るでしょう。そう思わない？」

そんな万年筆を使って居るお前が悪い、と思うが、黙《だま》って見る。

「お姉さん、私小説家なんだけど、読んだ事ある？　次回作は君を主人公にした奴《やつ》書いてあげるからさあ。上の人に話通してよ。私と君が心中するお話。亡命したらきっと書くから、この万年筆で」

駄目作家の演技が妙に板についている太宰。あいつ、普段《ふだん》ああ云って飲み屋の女性を口説いているのだろうな、と云う予感がした。

「ねえ本当に何とか為《し》てよ、このままだと拙《まず》いんだよ、私公安の怖《こわ》い人達に殺されちゃうんだよ。小説に好き放題な事書いちゃった所為《せい》でさあ、何なの、如何《どう》して外務省の偉《えら》い人が実は鬘《カツラ》だって書いただけで当局に狙《ねら》われなくちゃならないのさ、言論の自由の侵害《しんがい》だ、政府の横暴を許すなー！　頭髪偽装も許すなー！」

「おい五月蠅《うるせ》えぞ兄ちゃん！　野球が聞こえねーだろうが！　あと鬘《カツラ》のどこが悪い！」

待合席で野球実況《じっきょう》を視《み》ていた、黒帽子《ぼうし》の白人が濁声《だみごえ》で叫《さけ》ぶ。だがその程度の野次《やじ》で太宰を止める事など不可能だ。

「なにをう！　鬘《カツラ》と云われて怒る方が悪いんだ！　そんなに怒るなら最初から輝《かがや》ける禿《は》げ頭を天に晒《さら》していれば良いんだ！」

「あの、お連れ様を、その」混乱した事務員が俺に救いの目を向ける。だが済まん、これも人命の為なのだ。

「私は彼の担当編集だ。事務員たる貴女《あなた》の気苦労は察するが、ご覧の通り彼は全く聞く耳を持たん。権限を持つ文官が直々に判断を下せば諦《あきら》めるだろうから、申し訳ないが取り次いで頂きたい」

「はあ」

もはや気力を奪《うば》われ半ば放心状態の事務員は、ひとつ頷《うなず》くとふらふらと席を立った。

「お……お待ち下さい」

これ以上自分の権限で太宰の相手をしたくないのだろう。気持ちは判る。そして心から同情する。

待つことしばし。事務員の女性が戻り、俺と太宰を別室へと手招いた。

「こちらへどうぞ」

「困るのですよ、このような事は」

外交用の応接室に通された先には、禿頭《とくとう》の白人外交官が待っていた。渡された名刺《めいし》に書かれた役職は三等理事官《サードアタッシュ》。悪くない釣果《ちょうか》だ。

だがまだ不足だ。諜報上の機密を知る程《ほど》の権限は彼には無い。ならば此所《ここ》からが本番だ。

「お立場お察し致《いた》します」

俺は頭を下げる。頭を下げる文化にない外国人《とつくにびと》からすれば困惑《こんわく》こそすれ安心はせんだろう。

「この平和な国で政治亡命など前代未聞《ぜんだいみもん》ですよ。本国外務省に問い合わせても、確実に拒否《きょひ》の返答が待っているでしょう。ですから——」

「あ、その話はもういいよ。いやー御免《ごめん》ねおじさん、態々《わざわざ》部屋用意して貰ったけど、実は私、小説家じゃないんだ」

俺は、懐《ふところ》から手帳を取り出す。黒地に金の文字縁取《ふちど》りがされた手帳。

「我々は警視庁の公安警察です」

「こ……公安？」

理事官が頓狂《とんきょう》な声をあげる。無理もない。相手が接受国の公安警察となれば、事態の重さが違《ちが》ってくる。

「訳あって正規手続《ルート》での接触《せっしょく》が出来ませんでした。ですが我々が本物であることは、手帳を照合頂ければお判り頂けるかと」

俺は警察手帳を掲《かか》げる。そこには黒地に金《きん》で公安部と書かれ、写真と所属が明記されている。

理事官は手帳を受け取り、俺と写真を見比べる。

無論、これは偽造《ぎぞう》手帳だ。俺の異能力『独歩吟客《ぎんかく》』で、本物と同等加工の公安警察手帳を生成したのだ。故《ゆえ》に、この手帳からは俺達の嘘《うそ》は見破れん。

──見破られるとすれば、此所《ここ》からだ。

「我々は故あって秘密裏《ひみつり》に貴国の保安情報を必要としています。貴国諜報《ちょうほう》機関が把握《はあく》している、本邦《ほんぽう》内の爆弾《ばくだん》製造技術者の情報を供与《きょうよ》して頂きたい。これは国家保安上の重大事項です。迅速《じんそく》に御願いしたい」

予《あらかじ》め憶《おぼ》えた台詞《せりふ》を一息に言い切る。

「そ……そんな無茶な」

「無茶は承知です」俺はさらに畳《たた》み掛《か》ける。「貴官がご存じないのであれば、権限を所有する方に取り次ぎ願えますか」

「確かに大使館に出入りしている諜報機関の人間は居ます……ですがそう簡単には」

「一刻を争う事態です。百名以上の人命が失われる瀬戸際《せとぎわ》なのです」

百人以上の人命、と聞いて理事官の顔色が青褪《あおざ》める。善人では在るのだろう。

「す、少しお待ちを」

理事官は豪《えら》く恐縮《きょうしゅく》しつつ額の汗《あせ》を拭《ふ》き、備え付けの電話で何処《どこ》かに連絡《れんらく》をした。小声で相手先と暫《しばら》く口論のような会話をした後、電話を切って俺達に向き直る。

「いやあ、善《よ》かった。本来このような御依頼《ごいらい》は受け容《い》れかねるのですが……」

笑顔《えがお》で理事官が云《い》う。巧《うま》く運びそうな気配に、内心安堵《あんど》の息を吐《つ》く。

「有り難《がと》う御座《ござ》います」

「電話で秘書官と話したのですが、偶々《たまたま》この近くで私の上司と、貴方《あなた》がたの長官である警視庁公安部長が会食を行っているそうなのです。公安部長からご依頼頂ければ、本国も交渉《こうしょう》に応じるでしょう。いやあ善かった善かった」

「……は」

「貴方がたの部長は十分《じっぷん》少々《しょうしょう》でこちらに来るそうです。それまでおくつろぎ下さい」汗を拭きながら、安堵の笑みを浮《う》かべる理事官。

……拙《まず》い。

大変拙いぞ。

警視庁公安部長と云えば、警視総監《そうかん》級の権限を持つ公安のトップだ。権限が在るには在るが、爆弾脅迫騒動《ばくだんきょうはくそうどう》の事など寸毫《すんごう》も知らん。よしんば知ったとしても、実際に存在するかも判《わか》らん爆弾のために海外諜報機関の機密情報を奪うような作戦に同意する筈《はず》がない。ましてや俺達は、公安の名を騙《かた》った唯《ただ》の民間企業《きぎょう》なのだ。

「あ、いや、理事官。申し訳ないが、それは……その、宜《よろ》しくないんだが」

「は？　いえいえ、ご心配なさらず。幾《いく》ら諜報の連中でも、警視総監級の依頼を無碍《むげ》には断れませんよ、ええ。ご安心下さい」

どうする。今部長に来られたら凡《すべ》てが台無しだ。

「宜しくないのだ、本当に。何故《なぜ》かと云うとだな……つまり、ええと」

きょとんとした顔で見返す理事官。

「部長は来られないのだ。ある都合で」

「そうなのですか？　ある都合とは？」

いかん。俺はこう云う即興《アドリブ》は駄目《だめ》なのだ、本当に。

「部長は……ご多忙《たぼう》なのだ。することが沢山《たくさん》ある」

「はあ、それは勿論《もちろん》お忙《いそが》しいでしょう。ですが先程の電話では、問題無く来られると」

「ああ、そうなのだが、そういう意味ではなくてだな。そうは云いつつも何やかやあるわけで」

「……？」

「色々と、その……知り合いと会って話し込んだらつい長引いて了《しま》ったり、飼い犬の餌《えさ》が切れそうだから買ったり、役所に書類出したり」

「主婦？」

首を傾《かし》げる理事官。ああ、自分でも何を云っているのか判らん。

「と、兎《と》に角《かく》、この件を部長に知られる訳にはいかんのだ」

「知られる、って……貴方がたは上司に内密でこちらにお越《こ》しになったのですか？」

「そう云う訳では……いや、まあ、内密に来た」

「それは拙《まず》いでしょう。何故《なぜ》です？」

「うっかり」

「うっかり!?」驚《おどろ》く理事官。

「そう、うっかりなのだ。えー、その、あまりに非常事態でうっかり連絡を忘れたのだ。だから、つまり何だ、あまりに非常事態で……うっかり連絡を忘れたのだ」

「何故《なぜ》二回云ったんです？」

「こ、これ以上は機密のため云えん。兎に角ご存じの諜報員を呼んでくれ！」

これ以上喋《しゃべ》っているとどうにかなってしまいそうだ！

「そんな無茶《むちゃ》な。こちらも諜報員の所在は機密なのです。そのようなご説明では……」

「やれやれ……仕方ないなあ」

太宰が嘆息《たんそく》し、身を乗り出す。

「理事官殿《どの》。この口下手《くちべた》なアホ部下の代わりに説明いたしますとね。部長に内密でこちらに伺《うかが》ったのには、やむを得ぬ事情が在るのです。公安内部、特に部長の側近に、爆弾犯への内通者が居る疑いが浮上《ふじょう》したのです」

「何ですと？」

「その為《ため》我々は、内部監察《かんさつ》官と協力し、犯人の特定、及《およ》び公安内の内通者を特定すべく、こうして内密にご相談に上がった次第《しだい》なのです。部長が此所《ここ》に来れば、事情を察知した内通者が爆弾を起爆《きばく》させる懼《おそ》れがある。その前に爆弾の設置場所を摑《つか》まねばなりません」

話を聞いた理事官の顔色が変わる。

「そ……それは確かに重篤《じゅうとく》な問題です。しかし、そうならそうと早く云って頂ければ」

そう云いながらちらりと俺を見る理事官。

「彼が云えなかったのも、凡《すべ》て漏洩《ろうえい》を心配しての事ですよ。嘘が下手な男ですが、これも機密保持の為です。貴方が同じ立場であれば、自分の上司が内通者かも知れぬと云う事を日本警察においそれと明かせますか？」

「確かに……」頷《うなず》く理事官。

「幸い、爆弾を製造した主犯は或《あ》る程度絞《しぼ》られています。過去に海外で大規模な爆弾テロを起こした人間です。これは、世界のテロリストの敵たる貴国にとっても、国家保安上重要な捜査《そうさ》です。体制内部に巣くう反政府因子を、貴国の諜報機関と協力し一掃《いっそう》したい。ご協力願えますか」

「判りました。ご協力させて頂きます」

太宰……お前、凄《すご》いな……。

「ご案内します。こちらへ」

理事官は慌《あわ》てて立ち上がり、俺達を手で促《うなが》す。


理事官に連れられて訪《おとず》れたのは、大使館の地下の一室。個人用の事務室だった。

理事官は緊張《きんちょう》した面持《おもも》ちで「しばしお待ちを」と云って去り、俺達だけが残される。

「うちの理事官殿を虐《いじ》めるのはやめて欲しいな。あの人は良い人だ。加えて云えば、唯《ただ》の良い人だ」

やがて事務室に現れた壮年《そうねん》の男に、俺達は見覚えが有った。

「お前は……待合室で野球を見ていた……お前が米国の諜報員か？」

その男は、黒帽子《ぼうし》の白人。いかにも退屈《たいくつ》そうに待合室で野球番組を観戦していた、壮年の男だった。

「所属ＩＤは事務室の清掃員《せいそういん》だがな」諜報《ちょうほう》員は胸の名札をつまんで見せる。「で？　爆弾捜《ばくだんさが》しに忙しいお二人がこんな所に何の用だ、武装探偵社？」

俺と太宰は顔を見合わせる。

「知っていたのか？」

「この国で起こる問題を収集するのが俺の仕事だ。まして異能組織が朝から大騒《おおさわ》ぎともなれば、地球の反対側にだって情報は届く。おたくらが大使館に来た時から監視《かんし》してたのさ」

諜報組織が知りたがりなのは、映画や小説の中に限った話ではないと云う事か。

「俺達は市街に爆弾を仕掛《しか》けた奴《やつ》を捜して居る。過去に似た爆破《ばくは》事件を海外で起こした奴だ。そちらの書類に無いか？　本人曰《いわ》く『太陽が落下したかのような白光《びゃっこう》と消えぬ炎《ほのお》』で百余名を殺したらしいが——」

「ああ……やっぱり奴か」首を振《ふ》る諜報員。

「心当たりが有るのか？」

「消えぬ炎、そして白い光と云えば、アルミ粉配合爆薬《ばくやく》のアラムタだろう。奴のファイルだ」

諜報員が書類棚《キャビネット》から書類のひと束《たば》を取り出す。

「ザキエル・アラムタ。日系人で、中東のテロ組織御用達《ごようたし》の爆弾屋だ。一年前から日本に入っていて、我々は奴を監視していた」

「日本の公安には知らせずにか？」書類を眺《なが》めながら、俺は反駁《はんばく》する。

「事情があってね。我々の手で捕《つか》まえたかった。奴は爆弾魔《ばくだんま》であると同時に、同業のテロリストに爆弾を売る商売人だ。奴の顧客名簿《こきゃくめいぼ》があれば、反米主義者どもを一網打尽《いちもうだじん》に出来る」

資料を捲《めく》る。アラムタの顔写真と、過去の爆破の手口。

「最悪の爆弾組成だ」俺は奥歯を噛《か》み締《し》める。「こんなものが横浜の市街で爆発《ばくはつ》したら、被害《ひがい》は百人どころではないぞ」

アラムタが専門で使うのは、スラリー爆弾にアルミニウム粉末を組み合わせた車輌《しゃりょう》爆弾だ。乗用車に数百瓩《キロ》の爆薬を積み、携帯《けいたい》電話などの信号で信管を遠隔《えんかく》爆破させる。硝酸《しょうさん》アンモニウムを主原料とし、AP爆薬を補助剤《ざい》として使用する。いずれも安価で大量に精製可能だ。

資料の組成から推測する限り、爆心地《ばくしんち》から半径二百米《メートル》程度の人間は爆風《ばくふう》で即死《そくし》。そこから離《はな》れた距離《きょり》に居ても、爆風の高熱と融解《ゆうかい》アルミの雨が降り注ぐ。

アラムタがアルミニウム粉を爆弾に使う理由は、完全に対人殺傷が目的だ。アルミニウムは燃焼促進《そくしん》剤であり、強い白光を放ちながら燃えて爆炎の威力《いりょく》を増す。それと同時に、爆風に乗って飛散し、摂氏《せっし》六百度の高熱飛沫《ひまつ》となって被害者《ひがいしゃ》の肉体を貫通《かんつう》し焼き尽《つ》くす。とどめに、金属アルミニウムは水と反応して可燃性の水素瓦斯《ガス》を発生させる金属だ。つまり『水を掛《か》けると燃える』のである。そのため、消火の為の放水で更《さら》に爆発が連鎖《れんさ》し救助活動を困難にする。『太陽が落下したかのような白光《びゃっこう》と消えぬ炎』。言葉の通りだ。まさに悪魔《あくま》の爆弾である。

市街の人口密集地で爆発すれば、後の停電や事故等の二次災害も含《ふく》めて、死傷者は恐《おそ》らく千人を超《こ》えるだろう。しかも車輌に乗せて運べる自動車爆弾は、警察の監視を容易に潜《くぐ》り抜《ぬ》け市街へ潜入《せんにゅう》出来る。

こんな物を、絶対に横浜で爆発させてはならない。

「アラムタは今何処《どこ》に居る」

「二日前から同僚《どうりょう》の監視を撒《ま》いて行方《ゆくえ》知れずだ。何かしでかすと思っていた所だよ」

糞《くそ》、爆弾を見付ける為には、まずアラムタの行方捜しからか。

だが、敵の名と素性《すじょう》が判《わか》っただけでも前進だ。このアラムタと云《い》う男が《蒼の使徒》である可能性も高い。

アラムタが何故《なぜ》探偵社を脅迫《きょうはく》するのかは、現時点では不明だ。探偵社への怨恨《えんこん》だとすれば、探偵社が解決した過去の事件を紐解《ひもと》く事で、手掛《てが》かりが摑めるかも知れん。

「それで？　この情報の代価は何かな、諜報員《スパイ》さん？」太宰が含み笑いを込めて問う。

「何も。異国の民《たみ》とは云え、何百人もの死を看過する訳にもいかない。正義のため、喜んで情報を提出するよ」

「信じないよ。隣《となり》の国木田君は兎《と》も角《かく》、私のような捻《ひね》くれ者はね」

太宰が笑顔《えがお》で応じる。確かに、米国諜報部の任務は自国民の安全と繁栄《はんえい》でしかない。

諜報員はしばし黙考《もっこう》した後に答える。

「——もしアラムタを捕まえたら、公安には渡さず、我々に身柄《みがら》を引き渡せ。奴の顧客《こきやく》について、洗いざらい吐《は》かせたい」

「公安には渡さず、だと？」俺は眉《まゆ》を寄せる。「奴が今回の事件を企《くわだ》てた犯人なら、日本の警察組織と共同で尋問《じんもん》するのが筋ではないか」

「それはね国木田君。彼等は情報を得る為、爆弾魔を拷問する心算《つもり》なのだよ。それこそ、国際法で禁止されているほどのキツい奴をね。他国の警察機関と合同では、そこまでえげつない真似《まね》は出来ない。だから秘密裏《ひみつり》に犯人の身柄を手に入れたいのさ」

「…………」

俺は眼前の諜報員を見る。諜報員は無表情のまま答えない。否定する気は無いと云う事か。

法を破り、倫理《りんり》を侵《おか》すのは犯罪者ばかりではない。しかし、俺ごとき一般《いっぱん》民が、海外諜報機関の組織運営に説教をしたところで何も変わらん。

「この面会は非公式だ。お前は情報を誰《だれ》へも漏《も》らして居ない。故《ゆえ》に、我々が代価を支払《しはら》う必要も無い。行くぞ太宰」

俺は太宰を促し、出口へと踵《きびす》を返す。

「次からは受付で『フェニモア運輸』と名乗れ。俺に連絡《れんらく》が行く。僅《わず》かな手掛かりからここまで辿《たど》り着いた手腕《しゅわん》、お見事だよ。もし探偵社を馘首《クビ》になったら連絡をくれ。諜報員候補としてスカウトしたい」

「だってさ。どうする国木田君？」

「日本で爆弾が設置されたと聞いても眉一つ動かさぬような職に、就《つ》く心算《つもり》はない。ではな」

返事を待たず事務室を出る。諜報員は何も云わなかった。

○ ○ ○

俺と太宰は資料の情報を整理する為《ため》、一度探偵社に戻《もど》った。

刻限とされた日没《にちぼつ》まで、およそ二時間。

その間に爆弾魔たるアラムタを捕《と》らえ、爆弾の在処《ありか》を吐かせねばならん。たったの二時間で。

だが、吉報《きっぽう》があった。探偵社に連絡を入れた際に、助力の報《しら》せがあったのだ。

その報せを聞いた時、俺は確信した。爆弾は解除出来る、と。


「あーっはっはっは、駄目《だめ》だねえ皆《みんな》！　僕が居ないと真面《まとも》に捜査《そうさ》ひとつ出来ないんだから！」

探偵社の事務所に帰ると、何時《いつ》もの高笑いが聞こえた。

「乱歩さん！　九州の事件は如何《どう》したのです」

「あれねえ。死体を一目見たら犯人と手口が判ったから、さっさと解決して帰って来ちゃった」

脳天気に飲料水を啜《すす》りながら答えるのは、先輩探偵《せんぱいたんてい》の江戸川乱歩。

「聞いたよ国木田。たかだか爆弾一つにてんてこ舞《ま》いらしいじゃないか。駄目な後輩《こうはい》を持つと苦労するねえ全く。御陰《おかげ》でこっちは九州観光も出来ずとんぼ返りだよ。温泉玉子たべたかったのに」

「済みません。ですが、乱歩さんの力が必要なのです」

「僕の力が？」

「はい……本来であれば我々だけで解明すべき事件なのですが……力及《およ》ばず、乱歩さんにご助力をお願いしてしまい、申し訳有りません」

乱歩さんは俺を凝視《ぎょうし》した後、深く息を吸い込み、そして云った。

「っしょ――――がないなあ全く！　いや、そう恐縮《きょうしゅく》する事はないよ国木田、それと云うのも僕が有能過ぎるから悪い！　僕の『超《ちょう》推理』は世界最高峰《さいこうほう》の異能力だからね、頼《たよ》っちゃうのも仕方ないよね！」

高笑いと共に、俺の肩《かた》をばしばしと叩《たた》く。

「全く、仰《おつしや》る通りです」俺は深く頷《うなず》く。

「く……国木田君、大丈夫《だいじょうぶ》？　我慢《がまん》してない？」

横から太宰が恐る恐る声を掛《か》けてくる。

我慢？　何を云っているのだ太宰は。凡《すべ》て乱歩さんの云う通りではないか。

「太宰、乱歩さんに資料を」

「あ、はい。どうも、新人の太宰です。宜《よろ》しくどうぞ」

「ああ、聞いてるよ。頑張《がんば》って事件を見付けてね。解決は僕がやるから」

資料を受け取りながら、乱歩さんがふと太宰に目を留《と》める。

「新人君。えーと、太宰だっけ？……君の前職は何？」

「はい？」

乱歩さんの表情が消えている。太宰を凝視《みつめ》て居る。何かを探すように。

「学業を修了《しゅうりょう》してからは特に何もせず、ぶらぶらして居ましたが」

太宰の答えにも、乱歩さんは応じず太宰を凝視して居る。やがて数秒後、

「そうか、なら善《い》いんだ。じゃ頑張ってね」と云ったきり、何も無かったかのように爆弾魔《ばくだんま》の資料を机に並べ始めた。

何だったのだ？

「おい太宰、今のは何だ」

「知らないよ私に訊《き》かれても。——処《ところ》であの乱歩さんって方は、どんな異能力者なの？」

そう云えばまだ太宰には説明して居なかったか。

「乱歩さんは『超推理』と云う異能力を所持して居る。『見ただけで事件の真相が浮《う》かぶ』と云う凄《すさ》まじい能力だ」

「そんな能力あるの!?」

さしもの太宰も驚《おどろ》いたようだ。

「ある。市警や官吏《かんり》の上層にも信奉《しんぽう》者は多く、難解な事件がある度《たび》乱歩さんに依頼《いらい》が来る。探偵社を支える異能者だ」

「俄《にわか》には信じ難《がた》いなあ、そんな異能力」半信半疑の太宰。

「見れば判る」

「国木田！　僕の『超推理』で看破するのは、その爆弾が何処《どこ》に有るか、でいいの？」

「はい。時間がありません。爆弾の在処《ありか》が最優先です。それさえ判れば、俺達が解除します」

「このアラムタくんが何処に居るか、は調べなくても善いのね？」

「何よりも先《ま》ずは爆弾です」

「宜しい！　あっはっは、悪いねえ、僕が現れたからには、もう君達の活躍場面《かつやくシーン》は無いからね。太宰、そこの眼鏡取って」

太宰に渡された黒縁《くろぶち》の眼鏡を掛ける。その眼鏡の使用が、乱歩さんの異能発動合図だそうだ。

乱歩さんの目が細められる。

視線は万象《ばんしょう》を貫《つらぬ》く燿《かがや》きと成り、思考は神の座よりの神託《オラクル》と成る。

——『超推理』。

「……………………………………………………判《わか》った」

乱歩さんが眼鏡を置き、呟《つぶや》く。

「ええ、本当に？」

乱歩さんの背後で固唾《かたず》を呑《の》んでいた太宰が、興味深そうに身を乗り出す。

「地図」

乱歩さんが指を振《ふ》る。俺は書棚《しょだな》から横浜近隣《きんりん》の大判地図を取り出し、机上《きじょう》に広げる。

百余名を殺傷する悪魔《あくま》の兵器。造ったのは恐慌《きょうこう》と叫喚《きょうかん》の使徒たる職業的爆弾魔。

一体——どのような悪魔的な設置場所を選んだのか。

駅、大病院、学舎。或《あ》るいは高層楼閣《ビル》、市庁舎、複合商業施設《ショッピングモール》。最悪の可能性が次々と脳裏《のうり》を過《よ》ぎる。

「爆弾の場所は——」

乱歩さんの指が地図の上に落ちる。俺は固唾を呑む。

「ここだ。釣り具屋さん」

…………………………、は？

釣《つ》り具屋？

何かの聞き違《ちが》いか？　或いは何か重大な秘密施設か、危険物質を扱《あつか》う店なのか？

「……そうか。成る程《ほど》」

しばしあってから、太宰がぽつりと云《い》った。

「そうだ、そうですよね！　乱歩さんの能力は本物だ！　うん、爆弾を仕掛《しか》けるならこの釣り具屋しか有り得ない！　さあ国木田君、急ぐよ！」

「僕の凄《すご》さに感動しただろう、新入り君」

「はい！　素晴《すば》らしい、乱歩さんは間違い無く稀代《きたい》の名探偵だ！　最高です、探偵社に入って善《よ》かった！　さあ行こう、何を惚《ほう》けて居るのだい国木田君、今なら日没に十分間に合う！」

「おい……太宰、しかし」

「移動し乍《なが》ら説明するよ！　疾《はや》く！」

「頑張ってねー」

太宰に袖《そで》を引かれ、俺は不承不承探偵社を後にした。

俺達は社用車に乗り、一路釣り具屋を目指す。太宰が操縦桿《ハンドル》を握《にぎ》ると車が殺人箱と化す為《ため》、俺の運転である。

「説明しろ太宰。如何《どう》いう事だ」運転し乍《なが》ら、助手席の太宰に訊《たず》ねる。

「説明は勿論《もちろん》するけど、国木田君も乱歩さんの推理を疑ってる訳では無いのでしょう?」

「ああ、乱歩さんの推理なら間違いない。爆弾は釣り具屋に有る。だがお前が信じた理由は何だ?」

乱歩さんの異能力は『真相を看破する能力』。その効果が不発に終わった事は一度も無い。だが太宰の得心具合には何かが引っ掛かる。

「地図を見れば明らかだよ」

太宰の指摘《してき》に、俺は脳内の記憶《きおく》を呼び起こした。釣り具屋周辺は、道路、企業施設《きぎょうしせつ》、小さな商店などしかない。被害《ひがい》が少ないとは云わんが、国際爆弾魔の標的にしては悪辣《あくらつ》さに欠ける。

「俺を験《ため》すのは止《よ》せ。考えることが他《ほか》に山ほどある。結論を云え」

「私も資料を見て考えたのだけど、爆弾魔たるアラムタは各国で大規模な爆破《ばくは》事件を起こして居るよね。しかも彼は同じ場所での爆破を二度と行わない。観光地では高級宿泊亭《ホテル》、軍事基地では通信所、高層楼閣《ビル》では基部を支える支柱。その土地で標的に対し最大効果を得られる設置場所を常に選んで居る。では今回狙《ねら》うのは何処《どこ》か」

「勿体《もったい》ぶるな、疾《はや》く結論を云え」

「アラムタの標的は——石油保管施設さ」

頭を金槌《かなづち》でぶん殴《なぐ》られたような衝撃《しょうげき》が走る。

横浜の——石油コンビナート！

そうか。何故《なぜ》気付かなかったのだ。

日本有数の港湾《こうわん》都市たる横浜は、海運に依《よ》る燃料輸送の一大拠点《きょてん》である。湾岸《わんがん》には石油や天然瓦斯《ねんガス》を保管する広大な敷地《しきち》が並び、その燃料は関東一円の産業を支える為に、日夜膨大《ぼうだい》な量が運び込まれ保管されている。

さらにコンビナートの周辺には、石油原料を利用する化学、鉄鋼、石油精製工場が建ち並び、その生産物が日本国内の主要産業を支えている。

もし石油コンビナート近辺で爆発《ばくはつ》が発生し貯蓄槽《ちょちくタンク》に引火したら。その爆炎《ばくえん》が類焼《るいしょう》し港湾全域に広がるのは確実だ。恐《おそ》らく何日も消えぬ、国内史上最悪の工業火災になる。石油化学系の火災は放水による消火が難しく、被害は長期に亘《わた》るだろう。人的な被害《ひがい》もさることながら、何より国内経済に与《あた》える衝撃は計り知れない。

「成る程。お前が乱歩さんに感心したのは、その推理が的確だった為か」

「違うよ」

何？

「私が驚嘆《きょうたん》したのは、石油保管施設を狙うと云う手口の斬新《ざんしん》さからでも、乱歩さんの異能力の為でもない」

「では何だ」

「うふふ。何より驚《おどろ》きなのはね、乱歩さんのあれは異能力じゃないって事さ」

——は？

「何だと？　莫迦《ばか》を云え、異能力無しにあのような為業《しわざ》が出来るものか」

「だから凄いんじゃないか！　実は私ね、乱歩さんが推理している間、後ろでこっそり乱歩さんの髪《かみ》の毛を抓《つま》んで居たのだよ」

「何？」

確かに太宰はずっと乱歩さんの背後に居た。だが、何時《いつ》の間に——

「知っての通り、私は触《ふ》れた相手の異能発動を阻害《そがい》する、反異能者だ。私が躰《からだ》の一部に触れて居る限り、如何《いか》なる超人《ちょうじん》異能者と雖《いえど》も力を振るうことは出来ないのだよ。つまり——」

乱歩さんの『超推理』は、異能力では無い？

「では——」

「あれは推理だ。一個の人間が、観察と推断を基礎《きそ》として、一瞬《いっしゅん》で論理的結論を導き出したのだよ。横浜の地図、アラムタの資料、火災に関する知識。手持ちの情報を結合させ、結論を一瞬で導き出したのさ。恰《あたか》も推理小説の名探偵《めいたんてい》の如《ごと》くに——否《いや》、名探偵が活躍《かつやく》するのは凡《すべ》ての事件が終わった後、本の最後だ。ならば現場にも行かず容疑者にも逢《あ》わず、ただ資料を一瞥《いちべつ》しただけで爆弾《ばくだん》の居所を看破した乱歩さんは、凡庸《ぼんよう》な名探偵程度では手の届かない、恐るべき推理力と観察力を有していると云う事になる」

推理だと？

異能でも超常《ちょうじょう》現象でもない、唯《ただ》の思考の産物？

「そんな事が有り得るのか？　どうやって——」

「私が感嘆《かんたん》したのはそこさ。異能力者ならば唯の現象だ。感心こそすれ驚きはしないよ。けど乱歩さんのあれは誰《だれ》もが持つ思考力を働かせた結果なんだ。アラムタが米国諜報《ちょうほう》員の監視《かんし》を撒《ま》いて姿を消したのが二日前。となると、石油施設中枢《しせつちゅうすう》に入り込む許可証や、内部業者としての偽《ぎ》装《そう》は間に合わなかっただろう。一番簡単なのは、現金で賃借車《レンタカー》を借りて、そこに爆弾を積《せき》載《さい》して石油施設近辺の駐車《ちゅうしゃ》場に放置する手管だ。爆弾の有効殺傷範囲《はんい》が二百米《メートル》なら、それ以下の距離《きょり》に石油保管槽《タンク》の在る店に絞《しぼ》られる。湾岸地域でその条件に合致《がっち》するのが——」

「件《くだん》の釣り具屋と云う訳か」

「そう。その他にも風向、発見の難しさ等の要因があるけどね。いや、それを手持ちの資料を一瞬眺《いっしゅんなが》めるだけで見抜《みぬ》いたとしたら、たいへんな推理力と観察力だよ！　しかもご本人は異能を使ってる心算《つもり》らしい。実に偉大《いだい》な御仁《ごじん》だね。私も精進《しょうじん》しなくては」

太宰の感嘆に漸《ようや》く納得《なっとく》した。確かに、それがいかに神憑《かみがか》り的能力であっても、異能であれば単一の事象に過ぎぬ。だが本人の推理力であるとすれば話は別だ。乱歩さんが過去に解決した事件は十や二十ではない。それら凡《すべ》ての事件に於《お》いて、一見《いっけん》しただけの僅《わず》かな情報から真相を一瞬で見抜き、そしてただの一度も推理を外さなかった事になる。神業《かみわざ》などと云う表現では迚《とて》も足りぬ、信じ難《がた》い偉業《いぎょう》である。

異能者を超《こ》える非異能者。本邦《ほんぽう》、いや世界にも稀《まれ》な入神の技《ぎ》としか云えん。

にしても——

俺は助手席の太宰を見る。

「お前が他人の実力に驚く処《ところ》など初めて見たな」

「え、そう？　私よく驚くよ。食べようと蛤《はまぐり》に箸《はし》を伸《の》ばしたら未《ま》だ生きてた時なんて、そりゃもう吃驚仰天《びっくりぎょうてん》で——」

「違う。お前には他人が凡《すべ》て見えているような気がして居た」

あれだけ惚けた奇行《きこう》を常としてい乍《なが》ら、太宰の所作には何処《どこ》か世を達観した雰囲気《ふんいき》がある。それが何故かは判《わか》らんが、太宰の感情は孰《いず》れもどこか作り物めいている。この男は飄々《ひょうひょう》とした仕草の裏で、実は何もかも見抜いているのではないか？

「確かに、国木田君に関しては大体判ったからね。もう驚かないと思う。何故なら国木田君は自分が考えて居るよりずっと単純だから」

「何だと！」

「その反応も凄《すご》く素直《すなお》。良《い》いねえ、この後暫《しばら》く『俺は単純だろうか』と密《ひそ》かに悩《なや》むところまで予想出来て、それもまた良い」

「貴様——」

何か反論したいが、何を云《い》っても『予想通り』と返されそうな気がして厭《いや》だ。

「ならば、孰《いず》れ必ずお前をあっと驚かせてやる。俺の実力で貴様の予想を覆《くつがえ》す」

「それは楽しみだ。若《も》し私を驚かせられたなら、一杯奢《いっぱいおご》るよ」

「云ったな。忘れるなよ」

「忘れないよ。どちらに転んでも私に損はないからね。ほら、釣《つ》り具屋さんが見えて来た」

車輛《しゃりょう》は速度を落とし、釣り具屋の見える脇道《わきみち》に停車する。

○　○　○

車を降り、釣り具屋を目視する。刻限の日没《にちぼつ》までは一時間余り。波瀾《トラブル》がない限り、爆弾解除が間に合わぬと云う事はないだろう。

「該当《がいとう》の車輛の目処《めど》は立つか?」

「簡単だよ。大きめの商用車《ワンボックスカー》で、内部を隠《かく》すように窓が遮光硝子《スモークガラス》になってる車を探せば善《い》い」

少し離《はな》れた位置に社用車を停《と》め、警戒《けいかい》しつつ進む。爆弾を守る為《ため》武装要員が待ち構えている可能性も捨てきれん。

釣り具屋は休業日のようで、十数台を納める駐車場には疎《まば》らに車輛があるのみだ。駐車場内に人影《ひとかげ》は無い。西側の斜面《しゃめん》の陰《かげ》になって、駐車場は何処も薄暗《うすぐら》い。

首を巡《めぐ》らすと、すぐ背後に石油保管槽《タンク》の群が屹立《きつりつ》し、湾岸まで続いて居る。最寄《もよ》りの槽《タンク》は百米《メートル》程度しか離れていない。駐車場で爆弾が炸裂《さくれつ》すれば、業火《ごうか》は容易にあそこまで届くだろう。

「国木田君、見てあの車輛」

太宰が指差す方に目を向ける。そこには白い小型商用車が停められている。「わ」で始まる賃借車《レンタカー》の識別番号。遠目からも判る遮光硝子《スモークガラス》。更《さら》に、内部に人が居る様子も無いのに、車輪護謨《ゴムタイヤ》の設置部分が他車よりも深く撓《たわ》んでいる。数百瓩《キロ》の荷物を積載している証左だ。

俺は手帳の頁《ページ》に『無線電波妨害機《ジャマー》』と印《しる》し、破って念を込める。手帳の頁は忽《たちま》ち携帯《けいたい》型の電波抑制《よくせい》機へと姿を変じる。

「太宰。仕掛け罠《ブービートラップ》を警戒しつつ、これを車輛の近くに置け。俺は周囲を調べる」

電波妨害機《ジャマー》は、形状それ自体は携帯電話と酷似《こくじ》している。だがこの装置は、無線周波数帯域に干渉《かんしょう》し、近くの無線機器の電波通信を不可能にする効用を持つ。有効範囲は半径五米《メートル》程度。これを爆弾の傍《そば》に置けば、犯人による爆弾の遠隔《えんかく》起動を妨害出来る。

俺は拳銃《けんじゅう》を構えつつ、駐車場付近を索敵《さくてき》する。

敵の妨害を警戒したが、付近に伏撃《アンブッシュ》や狙撃《そげき》の気配は無い。その代わり、草葉に隠れて設置された撮影《さつえい》装置を発見した。廃《はい》病院で見付けたものと同種の型《タイプ》が一基、より小型の無線型《タイプ》が一基。

爆弾設置は此所《ここ》で間違《まちが》い無さそうだ。

ふと声に顔を上げる。

——あれは何だ？

道路の反対側で、ちょっとした人集《ひとだか》りが出来ている。十人前後の人々が、中心の何かを遠巻きに見ているようだ。彼等の不安げな表情に、厭な予感が過《よ》ぎる。

拳銃を隠しつつ、人集りに近付く。声を掛《か》けて人々を掻《か》き分け、彼等が集まった原因を見る。

呼吸が止まる。

在るはずのないモノがそこには在った。


アラムタの死体。


「国木田君、電波妨害機は置いたよ。次は何を——」

肩越《かたご》しに話し掛けてきた太宰も、それを見て言葉に詰《つ》まる。

何故《なぜ》だ。

何故奴《やつ》が此所で死んでいる。

近寄って、死体の状態を観察する。死斑《しはん》なし。顎《あご》の死後硬直《こうちょく》なし。脇下《わきした》体温はまだ人肌《ひとはだ》を保っている。明らかに、つい今しがた殺されたのだ。俺達が到着《とうちゃく》する直前に。

そのうえ、死体には外傷が無い。死因となり得る外的変化は一切《いっさい》見られない。その代わり、皮膚《ひふ》のあちこちに黒い文字が、斑点《はんてん》のように浮《う》き出ている。

数字の「00」。躰《からだ》に無数に刻まれている。一体何だ？　刺青《いれずみ》か、或《ある》いは——

「国木田君。軍警の特殊爆弾処理班《とくしゅばくだん》が間もなく来るそうだよ。此所は専門家に任せて、一旦離《いったんはな》れよう」太宰が俺の肩に手を置く。

「——判った」

アラムタの所持品を探《さぐ》ったが、小銭《こぜに》と偽造免許証《ぎぞうめんきょしょう》ばかりで、何かの役に立ちそうなモノは所持して居なかった。

謎《なぞ》を残したまま、俺と太宰は増え始めた野次馬《やじうま》を掻き分け、現場を後にした。

○　○　○

社用車を運転し乍《なが》ら、俺は考える。

アラムタは何故殺されねばならなかった？　口封じか？　だがどうやって——

「国木田君、考えるのも大事だけど、運転を疎《おろそ》かにしないでね」助手席の太宰が云う。

「判っている」操縦桿《ハンドル》を握《にぎ》りつつ返事をする。

状況《じょうきょう》を整理しよう。

表面的には、事件は二つ。横浜旅行者誘拐《ゆうかい》事件と、爆弾《ばくだん》事件。実行犯はそれぞれ、運転手とアラムタ。そこまでは明らかだ。

だがその二つの事件は裏の目的が在る。探偵《たんてい》社への醜聞攻撃《しゅうぶんこうげき》だ。探偵社が仕事に失敗し被害《ひがい》を出す瞬間《しゅんかん》の映像を世間に散蒔《ばらま》く。この目的には、運転手も、おそらくアラムタも関与《かんよ》していない。彼等を操《あやつ》る、黒幕が考えた策だ。

黒幕の名は《蒼の使徒》。

《蒼の使徒》は運転手、そしてアラムタを操り、実行犯に仕立て上げた。そして自らは何の罪も犯《おか》さず、実行犯が恰《あたか》も自発的に個々の事件を起こしたように見せかけ、探偵社への攻撃を実行した。

この黒幕を攻撃するのは至難の業《わざ》だ。何故なら、黒幕は実行犯達に殆《ほとん》ど指示を出さず、彼等の自発的犯行に任せて居るからだ。運転手も爆弾魔《ばくだんま》も、犯罪を実行する際には自分の庭、自分の遣《や》り方に従っている。ひょっとすると、自分達が操られていると云う自覚すら無かったかも知れない。

黒幕を潰《つぶ》さない限り、孰《いず》れ第三の攻撃が開始される。今度こそ探偵社は潰されるだろう。だが、極《きわ》めて手掛《てが》かりが少ない状況で、《蒼の使徒》まで辿《たど》り着けるだろうか。

さらに懸《け》念《ねん》が一つ。

《蒼の使徒》は、果たして何の罪に問える？

黒幕たる《蒼の使徒》が犯した罪は盗撮《とうさつ》と脅迫《きょうはく》のみ。誘拐も爆破《ばくは》も行っていない。事件そのものを実行犯達に自発的に行わせているため、殺人・誘拐の教唆犯《きょうさはん》として立件するのは限りなく困難だ。犯行指示の証拠《しょうこ》をうっかり残していることを期待するか？　しかし――

そこで携帯電話に連絡《れんらく》が入る。社長からだ。俺は路肩《ろかた》に車を寄せて停車し、通話釦《ボタン》を押す。

「国木田か。軍警の協力筋より連絡が在った。運転手が——死んだそうだ」

何——!?

「しかし、奴は軍警の空輪機で空の上では」

「そうだ。空輪機での尋問《じんもん》中、突然《とつぜん》苦しみ始め、間もなく事切れた。死因は不明だが、躰の至る所に黒色の「00」と書かれた刻印が浮き出て居たそうだ。——一度社に戻《もど》れ。状況を吟味《ぎんみ》立てる」

電話を切る。脳裏《のうり》を疑問符《ぎもんふ》が吹《ふ》き荒《あ》れる。

これで《蒼の使徒》への道は完全に絶たれた。運転手に臓器売買の手法を教えた人間が唯一《ゆいいつ》黒幕へと至る足掛《あしが》かりだったが、その追跡《ついせき》も運転手の死で不可能となった。

まるで敵は此方《こちら》の動きを知り尽《つ》くしているかのようだ。常に捜査《そうさ》の半歩先を行かれている。

俺達が現場に着く直前にアラムタは殺され、今最後の手掛かりである運転手も消された。

敵は何者だ？　探偵社の捜査を知り尽くし、その動きを逐一《ちくいち》知る事の出来る人物。

常に現場に干渉し、その状況を密《ひそ》かに操る事の出来る人物。

「国木田君、怖《こわ》い顔してるけど、大丈夫《だいじょうぶ》？」

隣《となり》の太宰の声に、返答をする余裕《よゆう》も無い。

敵はどうやって内部情報を手に入れる？　どうやって探偵社の先を行く？

再び携帯電話が鳴り、思考が中断される。六蔵少年からだ。

「よオ眼鏡《メガネ》。今いいか？」

「何だ」

「その……依頼《いらい》されてた、書面《メール》送信者の追跡が完了《かんりょう》したぜ」

「何！」

その手が在った。脅迫文の送信者は自ら《蒼の使徒》と名乗り、誘拐事件と爆弾事件への捜査を指示した。その送信元を辿れば――

「結論から云《い》うと、二通とも同じ筐体《コンピュータ》から送信されてた。かなりの防壁《プロテクト》が組まれてたけど、まア何とか突破《とっぱ》したよ。それでな――」

「国木田君、誰からの電話？」

助手席で太宰が訊《たず》ねるのを、手を掲《かか》げて制する。

「続きを云え」

「でな、己等《オイラ》はあくまで追跡を依頼されただけで、その解釈《かいしゃく》なんかは依頼の外だ。だからこの結果について、己等《オイラ》に尋《たず》ねられても困るワケだよ。それを踏《ふ》まえて聞いて欲しいンだが――」

「勿体《もったい》をつけるな。疾《はや》く云え」

「判《わか》った、云うよ。あのな――」

「書面《メール》の送信元は、探偵社。新人の太宰って奴の筐体《コンピュータ》からだった」

――何だと？

脳が凍結《とうけつ》する。思考が白く染まる。

有り得ない。何かの罠《わな》だ。太宰はずっと俺と共に行動して居た。ずっと俺と捜査を――

――探偵社の捜査を知り尽くし、その動きを逐一知る事の出来る人物。

――常に現場に干渉《かんしょう》し、その状況を密かに操る事の出来る人物。

「また連絡する」

俺は電話を切る。

「何の電話だったの？　国木田君の口調からして、六蔵少年かな？」

「少し黙《だま》れ」

思考が乱反射する。

太宰。太宰治。突然現れた、探偵社の新人。

太宰が現れた直後から、一連の事件が発生した。

——軍警諜報《ちょうほう》部に居る昵懇《じっこん》の友を頼《たよ》ったが、不気味な程《ほど》に何も出ぬ。

——恰も何者かが、念入りに過去を抹消《まっしょう》したかの様に。

廃《はい》病院の誘拐被《ゆうかいひ》害者《がいしゃ》救出では、太宰が仕《し》掛《か》けに触《ふ》れた為《ため》に毒瓦斯《どくガス》が発生した。だのに、公開された監視《かんし》映像には、太宰の姿は一切《いっさい》映って居なかった。

——あいつ、どうやってこの隠し撮《かくど》りを避けたのだ？

狡猾《こうかつ》で慎重《しんちょう》な《蒼の使徒》。決して自らは手を汚《よご》さぬ黒幕。怜悧《れいり》な思考力。大使館員を欺《あざむ》く演技力。臓器密売の知識。

俺は停車していた車を始動させ、運転を再開する。

「太宰」

「何？」

「少し——寄り道するぞ」

○　○　○

操縦桿《ハンドル》を廻《まわ》し、山道へ乗り入れる。

立ち寄る人もない、寂《さび》れた道だ。

俺は車輛《しゃりょう》を進め、山間にある、打ち棄《す》てられた廃倉庫へと乗り入れる。

「此所《ここ》は何？」太宰が倉庫を見て訊ねる。

「以前に仕事で使った倉庫だ。嘗《かっ》ては工業資材の保管倉庫だったが、海外移転に伴《ともな》い打ち棄てられた。今では誰《だれ》も近寄らん。秘密の会話をするには持ってこいだ」

「ふうん。それは嬉《うれ》しいね」気のない返事をする太宰。

車輛を倉庫に乗り入れて停車する。

この倉庫内は四方を壁《かべ》に囲まれ、周辺から監視される心配が無い。援軍《えんぐん》が来れば音で必ず知れる。

「降りろ」

太宰は何も云わず降車する。俺は車を降りる前に、自動拳銃《けんじゅう》の弾倉《マガジン》を開き、弾丸《だんがん》を確認《かくにん》する。

手帳を開き、文字を書き入れる。車輛を降りる。

「静かな場所だねえ。本当に秘密の会話には持ってこいだ。それで？　此所で何の話を――」

太宰に拳銃をつきつける。

「……この拳銃は何？」

「中《あ》ててみろ」

「待ち給《たま》えよ国木田君。この手の冗句《ジョーク》は君は嫌《きら》いだと思って居たけど」

「ああ、嫌いだ。冗句《ジョーク》ならな」

「——先刻《さっき》の電話で何か云われたね？　それが何にせよ、きっと勘違《かんちが》いだ。内容を教えて呉《く》れれば、誤解だと判るだけの説明が出来るよ」

「そう願う」銃の引金に力を籠《こ》めたまま、俺は問う。「最初の廃病院で、瓦斯《ガス》で被害者《ひがいしゃ》が死んだ時……お前は監視映像に顔が映るのを、巧《たく》みに避けていた。何故《なぜ》だ？」

「そんな事？」太宰が困った様な顔をする。「あの室《へや》に入った時、監視装置の位置が偶然《ぐうぜん》見えたからだよ。すぐ誘拐被害者が見付かって、君達に伝えるどころじゃなくなった。だから指摘《してき》するのが遅《おく》れたのだよ。それに就《つ》いては悪いと——」

「そうか？　最初から監視装置の位置と、その目的を知っていたのではないか？」俺は続ける。「ふたつめ。爆弾犯《ばくだんはん》を見付ける為に大使館に行くべきと提言したのはお前だったな。何故直《す》ぐ思い付いた？　アラムタの事を予《あらかじ》め知って居たのではないか？」

「厭《いや》だな、本気？　冴《さ》えてると褒《ほ》められこそすれ、疑われる謂《い》われは無いでしょう。そんな理由で疑われて居るの？」

「臓器密売組織《シンジケート》の知識は何処《どこ》で仕入れた」

「それは……だから、飲み屋で……」

「もう少し真面《まとも》な嘘《うそ》を吐《つ》け。異能特務課の種田先生と出逢《であ》ったのは偶然か？」

「待っ……待ってよ！　銃下ろさない？　そうしたら話すよ」

「何故お前の筐体《コンピユータ》から《蒼の使徒》の電子書面《メール》が送信されて居たのだ！　答えろ！」拳銃の撃鉄《げきてつ》を起こして叫《さけ》ぶ。

その叫びを聞き、太宰の表情が消える。

「成る程。六蔵少年の電話はそれだね？　あの年齢《とし》で凄《すご》い腕《うで》だ……きっと善《い》い探偵《たんてい》になれる」

太宰の声は平坦《へいたん》で感情が無い。何も。

思えば太宰には人間の底が見えない処《ところ》があった。印象の強い強烈《きようれつ》な奇士《きし》である一方、他人を搦《から》め捕《と》る知性と策謀《さくぼう》の権化《ごんげ》であった。

大使館で見せた公安刑事《けいじ》の人格が優《すぐ》れた演技であったように、今まで相対してきた太宰という人格が優れた演技でないと、誰が云《い》える？

「今すぐ納得《なつとく》のいく説明をしろ。でなければ撃《う》つ」

「国木田君には撃てないよ」太宰が頭《かぶり》を振《ふ》る。「君は几帳面《きちようめん》で理想主義だ。凡《すべ》ての謎《なぞ》を解き、犯人の自白を得てから逮捕《たいほ》し、司法に裁かせるのが君の理想だ。真実を有耶無耶《うやむや》にしたまま、こんな処で容疑者を撃ち殺す筈《はず》がない」

「《蒼の使徒》に対し、司法は無力だ」誘拐《ゆうかい》も殺人もせず、その教唆《きょうさ》もして居ない犯人に対して下される求刑《きゅうけい》など知れている。「撃つ。それが為《な》すべき事ならば」

——その魂《たましい》に邪悪《じゃあく》、奸凶《かんきょう》の兆《きざ》し在りし時は、お前が討《う》て。

社長の言葉。

掌中《しょうちゅう》に託《たく》された、重い拳銃。

——『すべきことをすべきだ』。

「国木田君。仮に私が《蒼の使徒》であったとして、そして君にとっての理想が《蒼の使徒》を速《すみ》やかに撃ち殺すことであったとしても——それでも私を撃つことは出来ない」

太宰の瞳《ひとみ》に酷薄《こくはく》な輝《かがや》きが宿る。

凡てを見通すかのような、透徹《とうてつ》した知性の怪人《かいじん》。

「思い出すんだ。殺されて居たアラムタは小銭《こぜに》と偽装免許証くらいしか持ち合わせて居なかった。では起爆スイッチは何処にある？」

爆弾の起爆を無線送信する装置。

それが無くては、爆弾脅迫《ばくだんきょうはく》など成立しない。

「アラムタを裏で操《あやつ》っていた黒幕が——持って居る」

「そう。その黒幕が、もし探偵社の動きを知っていたら？　そして爆弾の在処《ありか》を探偵社が割り出したと知ったら？　その黒幕は爆弾を移動させるか、別の予備を起動させると思わないかい？」

何時《いつ》の間にか太宰の右手が外套《コート》の衣嚢《ポケット》に入れられている。

何かを衣嚢《ポケット》の中に握《にぎ》って居たとしても、此所からでは確かめようが無い。

爆弾はまだある、と云いたいのか。

そしてその起爆スイッチを、今、押すことが出来ると。

だから自分を撃つことなど出来まいと。

——甘い。

「その考えは既《すで》に予測済みだ。これを見ろ」

俺は胸の衣嚢《ポケット》からそれを取り出し、地面に置く。

「先程《さきほど》の爆弾現場でも使った、無線妨害機《ジャマー》だ。俺から周囲五米《メートル》以内では、凡百《あらゆる》無線通信機はその機能を妨害される。遠隔起爆《えんかくきばく》スイッチとて例外では無い」

「な——」

驚《おどろ》いた顔をする太宰。手応《てごた》えを感じ、俺は太宰に銃口《じゅうこう》を向けたまま、太宰が手を入れている衣嚢《ポケット》に手を突《つ》っ込む。それを取り出す。

万年筆と、青い布。

「残念、騙《だま》されなかったね。それは唯《ただ》の万年筆だよ」にっこり笑う太宰。

確かにそれは、太宰が大使館で見せた、愛用しているとか云う万年筆だ。

「普通《ふつう》の人間ならばこれで信じる。だがお前の遣《や》り口を知る相棒を騙すには、少し足りんぞ」

万年筆の蓋《ふた》を回して外す。先端《せんたん》のペン先を外すと、本来のインキ芯《しん》ではなく、細長い回路むき出しの電子装置が現れる。

小型の無線機だ。

「これが起爆スイッチか？」

「……流石《さすが》は国木田君だ。そこまで看破してくれるとは。素晴《すば》らしい」

太宰の無機質な笑《え》み。

「矢張《やは》り君が相棒《パートナー》で善《よ》かった」

太宰の言葉に、感情が沸騰《ふっとう》する。

「五月蠅《うるさ》い！」

俺は照準を外し、銃を一発撃つ。

弾丸《だんがん》は太宰の足下《あしもと》の床《ゆか》に着弾《ちゃくだん》する。だが太宰は顔色ひとつ変えぬ。

「何が目的だ！　何故あのような事件を組み上げ、探偵社を脅《おど》した！　何の為《ため》に失踪《しっそう》者を殺し、爆弾を仕掛《しか》けた！　お前は……お前は」


有能だったのに。

相棒《パートナー》として、申し分ない程に。


「最後の警告だ。凡て話せ。でなければ撃つ」

太宰は何者だ。

《蒼の使徒》とは何者なのだ。

自らは何もせず、犯罪者に罪を犯《おか》させ、そして殺す。被害者《ひがいしゃ》を巻き添《ぞ》えにして。

犯罪者を殺し——

——ならば希求しよう、理想の世界を。

——神の御手《みしゅ》ではなく、不完全な吾《われ》らの血塗《ちぬ》られた手に依《よ》って。

真逆《まさか》。手許《てもと》の青い布を見る。太宰の衣嚢《ポケット》から奪《うば》い取ったものだ。

これと同じものを最近見なかったか？

――《蒼王》の遺骸《いがい》は跡形《あとかた》も無かったと聞きます。

――あるいは死を偽装《ぎそう》して逃亡《とうぼう》し、今も何処かに隠伏《いんぷく》して居るのでは。

《蒼王》の素性《すじょう》は既に明らかにされている。元エリート官僚《かんりょう》だ。

だが、顔と経歴を変える事など、その筋の専門家を頼《たよ》れば不可能では無い。

軍警の現場解析班《かいせき》を欺《あざむ》いて死を偽装する方法も、あるいは。

――太宰の過去を事務方に調べさせた。だが、何も無い。全くの空白だ。

太宰ならば、あるいは。

「お前――お前が、あの《蒼王》なのか？　俺と探偵社に復讐《ふくしゅう》する為、こうして遠大な計画を練り上げたのか？」

「撃ち給え」

太宰は今や超越《ちょうえつ》した笑みを湛《たた》えている。そこには平穏《へいおん》がある。

「君の勝ちだ、国木田君。撃つのだ。君はそう指示を受けている筈だ。それが正しい事だよ。そして君にはその資格がある」

「資格とは何だ！」

「君にならば撃たれてもいい」

違《ちが》う。俺がしたいのはこんな事では無い。太宰から真実を、真実を聞き出さねば。

——その魂に邪悪、奸凶《かんきょう》の兆し在りし時は。

違う。真実を見極《みきわ》めろ。

——お前が討て。


君になら撃たれてもいい、だと？


そうか。

そう云う事か。


「判《わか》った」

拳銃《けんじゅう》を構え、照準を太宰の眉間《みけん》にあわせる。

脇《わき》を締《し》め、片目を瞑《つむ》り、狙《ねら》いを定める。この距離《きょり》ならば外さん。

「撃《う》つぞ太宰。本当に撃つ。最後に少し位狼狽《うろた》えて見せろ」

俺の言葉にも、太宰の平穏な笑みは揺《ゆ》るがぬ。
「撃ち給《たま》え」
太宰の言葉。
もはや躊躇《ちゅうちょ》は無い。
俺は、引金にかかった人差し指を、曲げた。
銃口から弾丸が吐《は》き出される。
弾丸は空を裂《さ》いて直進し、
眉間に命中した。
太宰の頭部が、弾《はじ》かれたように後方に跳《は》ねる。
その勢いのまま太宰の躰《からだ》は仰《の》け反り、
弾かれた躰は宙を浮《う》き、そして——
倒《たお》れた。
俺は銃を下ろす。銃口からは白い硝煙《しょうえん》が薄《うす》く立ち上っている。

「…………」

狙いは過《あやま》たず、弾丸は太宰の頭蓋《ずがい》の中心に命中した。

この距離で外す筈《はず》がない。

拳銃の安全装置を入れ直し、銃が誤発射されぬことを確認《かくにん》してから、懐《ふところ》に戻《もど》す。

太宰から奪った万年筆型の起爆《きばく》スイッチを力任せにへし折る。俺の手の中で、機器は拉《ひしゃ》げて捩《ねじ》り折られ、機能を停止した。

次の行動を考えなくてはならない。俺は停車してある車輛《しゃりょう》へと歩いて戻る。

数歩ほど歩いた時、手持ちの携帯《けいたい》電話に通信があった。地面に置いた無線妨害機《ジャマー》から離《はな》れた為に有効範囲《はんい》外《がい》となり、通信が復活したのだろう。

俺は無表情に携帯電話の表示盤《ばん》を確認する。探偵《たんてい》社からだ。

「もしもし」

電話の相手は与謝野先生であった。

「国木田かい？　大事《おおごと》だよ！　《蒼の使徒》とか云《い》う唐変木《とうへんぼく》から、次の脅迫《きょうはく》文が来たよ！　転送するから、直《す》ぐ動きな！」

「しかし今は」

電話が文書受信機能に切り替《か》わり、通話は途切《とぎ》れた。

俺は携帯電話を操作し、受信文書を表示する。そこには次のような文書が届けられて居た。

謹啓《きんけい》

貴社へ三度御依頼《みたびごいらい》を申し上げます。

本日現時刻に航空して居《お》ります旅客航空機《りょかく》JA815Sに於《お》いて、内燃機関《エンジン》及《およ》び操縦《そうじゅう》桿《かん》の機能を停止する干渉信号《かんしょう》を発信させて頂いております。

この旅客機にて装置を除去、旅客の安全を確保して頂きたく存じ上げます。

悪《あ》しからずご了承《りょうしょう》下さいませ。

敬白

蒼の使徒

「飛行機……だと？」

この機《タイミング》で第三の脅迫。

誘拐《ゆうかい》よりも爆破《ばくは》よりも、飛行機に対する攻撃《こうげき》を阻止《そし》するのは困難を極《きわ》める。空中を超高速《ちょうこうそく》で飛ぶ旅客機に乗り込み仕掛《しか》けを排除《はいじょ》するなど不可能だ。遣《や》るとするなら軍の戦闘《せんとう》機が要《い》る。否《いな》、軍を以《もっ》てしても、旅客機に侵入《しんにゅう》対策が施《ほどこ》されていた場合には為《な》す術《すべ》も無い。

内燃機関《エンジン》及び操縦桿の機能停止。それが何を意味するか。

航行中の旅客機は、動力が停止しても揚力《ようりょく》でしばしの間航行する事が可能だ。しかしそれでも、操縦が不可能となれば高度低下は免《まぬか》れず、孰《いず》れは墜落《ついらく》する。左右の操舵《そうだ》が不可能なら、比《ひ》較的《かくてき》安全な海上に着水するのも難しい。そして地上に激突《げきとつ》すれば最後、宇宙が開闢《かいびゃく》してより最高の奇《き》跡《せき》でも起こらぬ限り、旅客は全員死亡するだろう。

絶対に回避《かいひ》不可能な、第三の脅迫。

回避する方法は一つしかない。

太宰を見る。

太宰は仰《あお》向《む》けに倒れ、目を閉じている。

そして仰向けで倒れる太宰に歩み寄っていく。

○　○　○

「何時《いつ》まで死んでいる気だ阿呆《あほう》。起きて働け」

太宰の躰を蹴《け》る。

「えー？　もうちょっと寝《ね》てたいのに」

太宰が口唇《こうしん》を尖《とが》らせた。

○　○　○

「次の危機《ピンチ》かい？」

「ああ。真犯人より、飛行機を墜落させるとの脅迫が来た。お前がこの脅迫の黒幕でないならば手伝え」

「国木田君ならきっとそれで撃つと思っていたよ」太宰が寝たまま微笑《ほほえ》む。

「相変わらずだ貴様は。策謀《さくぼう》は結構だが、要らん寸劇に俺を巻き込むな」

俺は先程《さきほど》撃った拳銃を太宰に向かって放り投げる。

太宰が拳銃を掴《つか》む。

拳銃は、太宰の手の中で手帳の頁に戻った。

「だが何故《なぜ》判った？　俺は社長から全く同じ型の拳銃を下賜《かし》されていた。そちらで撃つとは思わなかったのか」

「それは勿論《もちろん》、信頼《しんらい》だよ。慎重《しんちょう》な国木田君がいきなり本物で脅《おど》す訳ないもの」

「お前が云うと、信頼と云う言葉が汚《けが》れるな」

俺が太宰に向けて撃った拳銃は、異能『独歩吟客《ぎんかく》』で創《つく》り出した、手帳の頁《ページ》だった。弾丸《だんがん》も同じく異能によって生成された物のため、太宰の躰に着弾《ちゃくだん》した瞬間《しゅんかん》、太宰の異能無効化能力が発動し、消滅《しょうめっ》したのだ。

「最初に気付いたのは？」

「お前の台詞《せりふ》からだ」

太宰が本気で『君になら撃たれてもいい』などと云う筈がない。太宰との仕事で学んだ事は、その手のクサい台詞を太宰が吐《は》く時は、十中八九相手をおちょくる時だと云う事だ。今回の状況《シチュエーション》ならば、太宰は『これで死ねる』と小躍《こおど》りして喜ぶのが正しい。異常が正常で、正常が異常な男なのだ。

「それともう一つ。この万年筆だ。これは起爆スイッチではなく、盗聴器だな？」

「ご明察」太宰が笑顔《えがお》で俺を指差す。

伊達《だて》に探偵業を続けていない。起爆スイッチか否かくらいは、間近で見れば判《わか》る。

太宰はこの盗聴器《とうちょうき》を無効化する為《ため》に、この寸劇を仕組んだのだ。

俺が無線妨害機《ジャマー》を用意し、盗聴器を無力化すると読んで。

「いつ掏《す》り替えられた」

「釣《つ》り具屋の処《ところ》で、死体を見に来た野次馬《やじうま》を掻《か》き分けたでしょう？　あの時の一人に。全く、本当に愛用の万年筆だったのだよ。弁償《べんしょう》させてやる。凄《すご》く書き難《にく》かったけど」

「その時、盗聴器を入れられると同時に蒼色旗《そうしょくき》も仕込まれたのか」

この仕込みで敵は、太宰を真犯人に仕立て上げる心算《つもり》だったのだ。

だが、相手が悪かった。

「お前のことだ。敵が接触《せっしょく》すると知っていて、ただ擦《す》れ違《ちが》うだけと云う事はなかったのだろう？」

「勿論。むしろ私がずっと黒幕役を演じてきたのは、その瞬間の為だよ。盗聴器を仕込む為に接触される刹那《せつな》を狙《ねら》い、逆に相手に座標発信器を取り付けてやった。私を出し抜《ぬ》こうなんて二千年早いね」

太宰は、相手の魂胆《こんたん》を凡《すべ》て読み切り、その計画に敢《あ》えて乗ったのだ。

《蒼の使徒》は自ら手を汚さず、必ず実行犯を用意する型《タイプ》の犯罪者だ。誘拐も、爆弾《ばくだん》も、実行犯に凡て委託《いたく》し、自分まで嫌疑《けんぎ》が掛《か》からぬよう、凡百《あらゆる》状況を綿密に設定して居る。

ならば、《蒼の使徒》と云う役割自体も、誰《だれ》かに委託してしまうのではないか。

太宰はそう考えた。

「最初に気付いたのは、廃《はい》病院の監獄《かんごく》で瓦斯《ガス》が発生した時だね。あの時、私は未《ま》だ電子端末に触れていなかったのだよ。なのに瓦斯が発生した。と云うことは、犯人は私達の状況を監視《かんし》していて、恰《あたか》も私の所為《せい》で毒瓦斯が散布された様に見せかけるべく、仕掛けを遠隔《えんかく》操作した事になる。敵は何故そんな事をするのか？　私の疑いは其処《そこ》から始まった。状況を理解するのに、さほど時間は掛からなかったよ」

敵の狙いは真犯人の偽造。

経歴不詳《ふしょう》の新人は、真犯人として最も適任だ。

太宰はしかし、その企《たくら》みを妨害する為の措置《そち》を一切執《いっさいと》らなかった。

「この敵は、一切表舞台《おもてぶたい》に出てこない。敵を特定する証拠《しょうこ》も、追跡《ついせき》する好機も徹底《てってい》的に潰《つぶ》されている。でも、そんな敵にも、一度だけ外部と接触せねばならない瞬間があった。操《あやつ》り人形を造る時さ。真犯人と接触する好機は、運転手、爆弾魔《ばくだんま》、つまり実行犯にのみ、一瞬《いっしゅん》だけ許されている。ならば敵の尻尾《しっぽ》を摑む為には、自ら実行犯となるしかない。国木田君がその真相に気付いてくれなければ、そのまま犯人として投獄《とうごく》される処だったよ」

　そして太宰は、相手の計略に乗せられ嵌《は》められている演技を続け、極めて自然な流れで盗聴器を無効化した。盗聴している黒幕からすれば、今この瞬間《しゅんかん》盗聴器が機能していないことも、計画通りの結果であり何の問題もないと考えるしかない。

ほんの僅《わず》かな監視外時間。

その一瞬の油断を引き出す為に、俺に真実を話さず、疑いを持たせたのだ。

改めて感嘆《かんたん》する。

恐《おそ》ろしい男だ。

敵は歴戦の爆弾魔をも操る知略の権化《ごんげ》。その敵から、濡《ぬ》れ衣《ぎぬ》を着せられようとして居ると見《み》抜《ぬ》くだけでも相当な観察眼が要る。

だが太宰は、それを自らの策に取り込み、敵を引き摺《ず》り出す銛《もり》として相手に突《つ》き刺《さ》し返したのだ。

「さて、盗聴器を仕《し》掛《か》けた敵は今、笑いが止まらない事だろうね。予定通り私は疑われ、身内によって断罪された。そして、この瞬間は敵が次の手を打つのに絶好の時だ」

俺は頷《うなず》く。飛行機を利用した脅迫《きょうはく》がこの機会《タイミング》だった事実は、恐らく偶然《ぐうぜん》では無い。

盗聴器から、俺が太宰を疑っていると云《い》う会話を聞いた時点で、敵は太宰が処刑《しょけい》されることを確信した筈《はず》だ。その確信は、ほぼ正答だったと云う事になる。

そして、太宰が倒《たお》れる頃合《ころあ》いを狙って、第三の脅迫。

「探偵《たんてい》社からすれば最悪の機《タイミング》だよ。空を飛ぶ飛行機に飛び移って解除など出来る筈がない。

その脅迫文を書いた筈の私は、つい今しがた国木田君が撃《う》ち殺して了《しま》った。八方塞《はっぽうふさ》がりで投了《とうりょう》。探偵社は終わりだ」

そうだ。本来の、敵の筋書き通りならば、そうなっていた。

——相手が、よりによって太宰でさえなければ。

「方法は一つしかない……お前が仕掛けた座標発信器を追って、敵の本拠地を直接叩く！」

「奴等《やつら》に一泡《ひとあわ》吹かせてやろうじゃあないか」太宰が立ち上がる。

○　○　○

盗聴器と無線妨害機をともに廃倉庫に残し、俺達は車輛《しゃりょう》で移動を開始した。

太宰が携帯《けいたい》式の発信器追跡端末《ついせきたんまつ》を起動する。発信器は俺達よりほど近い、山間部にて停止して居た。探偵社にその地点の情報収集を依頼《いらい》する。敵の本拠地だとすれば、何らかの防衛施設《しせつ》である可能性も否定出来ん。

だが先に探偵社から届いた連絡《れんらく》は、『航空機内と連絡がついた』と云うものであった。

旅客《りょかく》の持込品を確認《かくにん》したところ、偶然通話可能な映像通信端末を発見したのだ。

携帯端末に映像を転送させる。映像が機内の旅客席を映し出す。

「あ……あたし、ひこうきに乗ってる、人、です。これを持ってたママは気持ち悪くなって……かわりに、あたしが、話しています。ひこうきの、高さが、どんどん、下がって、たくさんの人が、泣いたり、さけんだりで……」

「糞《くそ》ッ！」

映像に向けて話しているのは、およそ十に足るか足らぬかの、年端《としは》もゆかぬ少女だった。揺《ゆ》れる機内で、映像装置に向けて話すその顔は涙《なみだ》で崩《くず》れている。

「放送で、すわってなさいって、機長さんが……でもみんなきかなくて、あばれてる人もいて……」

「こちら地上だ。聞こえるか？　辛《つら》いだろうが、飛行機の状況を教えてくれ」

「ひこうきが、どんどん下がってます。エンジンがうごかなくて、そうじゅうも、できない、って」

恐怖《きょうふ》に崩れそうな顔の少女は、しかし自分の置かれた状況と為《な》すべき行動を察知して居るのだろう。必死に状況を伝えようとする。

「きこえますか、あたしたちは、しぬんですか、みんな、そういって……こわいです、ママ、うごかなくって、返事もなくって、だからおねがいです、どうか、あたしたちを……」

「お嬢《じょう》ちゃん。聞こえるかい？」太宰が通信を引き継《つ》ぐ。「私達は飛行機の専門家《プロ》だ。私達が知ったからには、もう大丈夫《だいじょうぶ》だよ。飛行機はちゃんと直る。お嬢ちゃん、名前は？」

「ち……千世《ちよ》」

「千世《ちよ》ちゃん。心配なんて無いよ。何かお菓子《かし》は持っているかい？」

「ママがくれた……飴《あめ》がある」

「飴か。お兄さんも飴は大好きだよ。甘い飴をなめると、ほっとするよね」

「おい、太宰」

「いいから。……千世ちゃん、その飴をなめて、ゆっくり味わうんだ。そうしたら、今お話をしてる機械を持って、機長さんのお部屋に行くんだよ。機長さんのお部屋は判《わか》る？」

涙を拭《ふ》きながら、ひとつ頷《うなず》く少女。

「そこに行けば、叫《さけ》ぶ人は居ないよ。だから大丈夫だ。ママもきっとよくなる」

「ひとりじゃ……いけない。ママが、ここに」

「ママは大丈夫だ。機長さんがなんとかしてくれる。機長さんの処《ところ》に行って、その機械を渡《わた》すんだ。いいね」

少女は暫《しばら》く俯《うつむ》いて震《ふる》えていたが、やがて飴を手にとって立ち上がり、機長室へと歩き出した。

車の操縦桿《ハンドル》を持つ手に力が籠《こ》もる。

「こちら旅客機815Sの機長だ。現在管制との通信、内燃機関《エンジン》が停止し慣性航行中だ。其方《そちら》は誰だ？」

機長が通信に出る。不惑《しじゅう》を過ぎた、熟練と云った風貌《ふうぼう》の操縦士だ。

俺は通信機に向け返答する。

「我々は武装探偵社。軍警の対応部隊では間に合わぬ為《ため》、状況《じょうきょう》を知る我々が対応にあたる。機の状態は？」

「武装探偵社？——彼《か》の失踪《しっそう》者を毒瓦斯《どくガス》で死なせた探偵屋か？　大丈夫なのか、万一——」

「悪いが、事件の全容を知るのは我々だけだ。軍警では情報の把握《はあく》と指揮系統形成に数時間は掛《か》かる」

「数時間など持たないぞ！　当機はほぼ凡《すべ》ての電子機器が停止し、加減速は疎《おろ》か、旋回《ロール》すら不可能だ。計算上では一時間程《ほど》で陸地に激突《げきとつ》する！」

「聞いて呉《く》れ。これは人為《じんい》的な破壊《はかい》工作だ。機内に怪《あや》しい機器か、又《ま》たは破壊痕《はかいこん》は無いか？」

「……副操縦士が貨物室で、大きな鉄筐《てっきょう》を見付けた。機内の配線と接続されているらしい事は判ったが、鉄筐自体が旅客機に溶接《ようせつ》されている。手持ちの道具では破壊も撤去《てっきょ》も出来ない」

成る程。恐らく、その装置が航空機のシステムに干渉《かんしょう》しているのだろう。

犯人は航空機格納庫にあった旅客機のひとつに侵入《しんにゅう》し、旅客機の操作系統を一時的に麻痺《まひ》させる装置を溶接した。その装置を離陸《りりく》後に遠隔《えんかく》起動させ、航空能力を機より奪《うば》ったのだ。確か仕事上の資料で読んだ記憶《きおく》がある。旧国防軍が、敵の航空機の能力を奪う設備を開発中であったと——結局事前に装置を機内に仕掛ける必要があり運用は断念されたそうだが、しかし今回の状況はそれに酷似《こくじ》して居る。

若《も》し今回の旅客機に同じ型《タイプ》が設置されて居るのなら、地上からの信号で干渉を制御《せいぎょ》して居る筈だ。つまり、地上の制御装置を切れば、航空機の操作を回復させられる可能性が高い。

「機長。これから俺達は、旅客機の操作を麻痺させている原因を取り除く。合図があったら直ぐに高度を立て直せるよう、準備をしておいてくれ」

「了解《りょうかい》した。しかし、あまり地表に近すぎると高度回復が間に合わない。急いでくれ。こちらには乗客四百十名が搭乗《とうじょう》している。そのうえ計算上では、あと一時間で横浜の租税回避区《タックスヘイヴン》近辺に墜落《ついらく》する」

あと一時間。

どのような形で墜落するにせよ、乗員四百余名のほぼ全員が死亡することは避《さ》けがたい。しかも租税回避区《タックスヘイヴン》の商業密集地に激突すれば、更《さら》に地上にも甚大《じんだい》な被害《ひがい》をもたらす。被害規模はアラムタの爆弾《ばくだん》の比では無いだろう。

時間が無い。

加速板《アクセル》を踏《ふ》み込む。


発信器を追い、俺達は横浜の山間部を疾走《しっそう》する。

周囲に民家も無く、荒《あ》れた低木林地が車輛に陰影《いんえい》を投げかける。

「此所《ここ》か」

車輛を停《と》める。視線の先にあるのは、山肌《やまはだ》に設《しつら》えられた黒い鉄扉《てっぴ》。

先の大戦で敷設《ふせつ》された、旧国防軍の軍事施設跡地《しせつあとち》、その防空壕《ぼうくうごう》の入口である。

使われる事無く放置され、朽《く》ち果てるのを待つ軍事基地。成る程、此所であれば機器を運び入れても、或《あ》いは中で大砲《たいほう》をぶちかましても、気に留《と》める者などない。

突然《とつぜん》、両脇《りょうわき》の斜面《しゃめん》から銃声《じゅうせい》。社用車に弾丸《だんがん》の驟雨《しゅうう》が降り注ぎ、車体が悲鳴を上げる。

「敵襲《てきしゅう》だ！　車から降りろ！」

加速板《アクセル》を踏み込み、車体を急加速させる。同時に車輛から飛び降り、叢林《そうりん》に逃《に》げ込む。

「どうやら此所で間違《まちが》い無いようだな……！」

斜面の岩陰《いわかげ》、小銃で武装した敵から射撃《しゃげき》を受けている。敵は三……四名。

「どうするの国木田君！」斜面の陰《かげ》に隠《かく》れて、太宰が叫ぶ。

「連中の目的は時間稼《かせ》ぎだ！　俺が援護《えんご》する、施設に突入《とつにゅう》しろ！」

叫ぶ俺の頭上を、銃弾《じゅうだん》が飛び去っていく。

敵の状況を窺《うかが》う。遮蔽《しゃへい》物に隠れて小銃を乱射するだけ。銃は上物だが、ポートマフィアに較《くら》べれば兵の練度は高くない。

『独歩吟客《ぎんかく》』——閃光榴弾《フラッシュバン》！」

今回は手帳の頁《ページ》を使い過ぎだ！

閃光榴弾を投擲《とうてき》する。敵の頭上で炸裂《さくれつ》した閃光《せんこう》と爆音《ばくおん》が、敵を怯《ひる》ませる。

「今だ！　行け！」

拳銃《けんじゅう》を撃《う》ちつつ、太宰に檄《げき》を飛ばす。太宰が弾《はじ》かれたように駆《か》け出す。

◯　◯　◯

太宰は国木田と別れ、朽ちた防空壕を駆けた。

発信器の信号は防空壕を抜《ぬ》けた先の整備場より発せられていた。竪穴《たてあな》を登り、操車場を抜ける。トタン造《づくり》の外壁《がいへき》を持つ、二階建ての整備場に駆け込む。

放置された整備場は、車輌《しゃりょう》や航空機を納める一階の格納庫と、格納庫を見下ろす二階の通信室から成る。太宰は階段を駆け上り、二階の通信室に入った。

「此所か」

通信室は床材《ゆかざい》が剝《は》げ、随所《ずいしょ》に錆《さび》の浮《う》く古色蒼然《こしょくそうぜん》たる代物《しろもの》であったが、何者かが頻繁《ひんぱん》に出入りした事を示すように、扉《とびら》の蝶番《ちょうつがい》は新調されて居た。机には中身の少し残った醸造酒《じょうぞうしゅ》の瓶《びん》と、まだ煙《けむり》の残る葉煙草《はたばこ》が置かれて居た。

壁《かべ》に設えられた大型の通信機には電光が点《とも》り、未《いま》だ稼働《かどう》中であることを示している。

太宰は通信機に近付く。

その刹那《せつな》、太宰の背後に影《かげ》が差した。

何時《いつ》の間にか立っていたのは、異国風の大男であった。

褐色《かっしょく》の肌《はだ》に隆々《りゅうりゅう》たる筋骨。腕《うで》に椿《つばき》の刺青《いれずみ》。瞳《ひとみ》は暗緑色。禿頭《とくとう》には幾筋《いくすじ》も古傷が走る。

大男は無言で太宰を見下ろしている。

「何を為《し》て居る」大男が嘯《うそぶ》いた。

「何って……決まって居るじゃないか！　警告だよ！」振《ふ》り返るなり、太宰は叫んだ。「探偵《たんてい》社が此所を突《つ》き止めた！　早く逃げないと、全員縛《しば》り首だよ！　頭領《ボス》は何処《どこ》だい？　入口も間もなく突破《とっぱ》される、時間が無い！」

太宰は切羽詰《せっぱつ》まってまくし立てる。

「俺は貴様など知らぬ」

「勿論《もちろん》だよ。私は頭領《ボス》しか知らない潜入員《せんにゅういん》だからね。頭領《ボス》は秘密主義だ、そうだろう？　善《い》いから早く頭領《ボス》を呼んできてくれ給《たま》えよ！」

大男の顔に当惑《とうわく》の色が浮いた。

「判った」

大男が踵《きびす》を返し、通信室から立ち去ろうと太宰に背を向ける。

破砕音《はさいおん》。

大男が緩慢《かんまん》な動作で床《ゆか》に倒《たお》れた。頭部に大きな打撲傷《だぼくきず》がある。

大男の背後には、半ばより砕《くだ》け割れた醸造酒の瓶を握《にぎ》った太宰が、笑顔《えがお》で立っていた。

「頭領《ボス》は秘密主義だ。会ったことないから勘《かん》だけど」

大男を油断させて背後から酒瓶で殴《なぐ》った太宰は、瓶を捨てて通信機に向き直った。

「あとは通信機で停止信号を送るだけ、と」

○　○　○

相対した小銃部隊を制圧し、俺は太宰の後を追う。

入口の迎撃《げいげき》から一転、軍事敷地《しきち》内は死者のような静寂《せいじゃく》に包まれている。所々に新しい靴跡《くつあと》や車輪跡《あと》がある為、連中の巣窟《アジト》に間違いは無いのだろうが、これでは太宰を追えぬ。発信器の追《つい》跡《せき》装置は太宰が持って居る。

と、トタン壁《かべ》の整備場前を通り過ぎた時、内より硝子《ガラス》の破砕するような衝撃音《しょうげきおん》がした。

――太宰が敵と争って居るのか？

整備場の壁に背をつけ、拳銃を構える。入口より飛び込み、銃口《じゅうこう》を内部に向けて索敵《さくてき》する。

この建築物の一階は装甲《そうこう》車や航空艇《てい》の格納庫であったようだが、今は引き払《はら》われ、地肌《じはだ》を晒《さら》した更地《さらち》となっている。二階は通信室と事務室か。目標の通信機があるとすれば二階だが――

その時、躰《からだ》に猛烈《もうれつ》な違和感《いわかん》と悪寒《おかん》を感じた。

皮膚《ひふ》の直下を無数の見えぬ蟲《むし》が這《は》い回っているかのような不快感。堪《たま》らず膝《ひざ》をつく。

足下《あしもと》の地面に、何か紋様《もんよう》が描《えが》かれていることに気付いた。円と直線、様々な図形に文字。文字は判読不能の古代記号のようだ。神霊魔術《グリモワール》か何かの儀式《ぎしき》に用いる魔方陣《まほうじん》にも似ているが――

これを踏んだ直後に悪寒に襲《おそ》われた。即《すなわ》ち――

躰の不快な痛痒《つうよう》に直感を覚え、服の袖《そで》を捲《まく》る。

皮膚に「39」の文字が浮き出ている。

躰中を確認《かくにん》する。腕、胸板《むないた》、足首。確認出来るだけでも躰の九箇所《かしょ》に刺青の如《ごと》き刻印が生じている。数秒前までは絶対に無かった刻印だ。

「キミの、キミの数字を、おくれよ」

か細い声の方へ、反射的に銃口を向ける。

声の先には、矮軀《わいく》の少年——否《いな》、青年——が居た。ふらふらした足取りで、此方《こちら》に向かって来る。俺は銃の照準を合わせる。

「動くな！　俺達は武装探」

云《い》い切る事が出来なかった。

横殴《よこなぐ》りの見えぬ衝撃に、吹《ふ》き飛ばされたのである。

俺の躰が水平に飛んだ。地上に叩《たた》き付けられて再び跳《は》ね、壁に激突《げきとつ》する。トタンの壁が拉《ひしゃ》げ曲がる。

脳が回る。世界が踊《おど》る。回転し叩き付けられた所為《せい》で、平衡《へいこう》感覚が保てん。反撃《はんげき》を——

傍《かたわ》らに落ちていた拳銃を、何とか掴《つか》み上げる。

再度、腕に突き上げるような透明《とうめい》の衝撃波《しょうげきは》を受けて俺は仰《の》け反る。骨が軋《きし》む。拳銃が宙を舞《ま》う。

「元気、元気で素敵《すてき》だよ、キミ。さぞいい数字を持ってるだろうね」

痩《や》せた青年が拳銃を拾い上げる。不思議な物のように銃口を覗《のぞ》き込む。

明らかに——異能者。それも戦闘《せんとう》型、遠隔攻撃《えんかくこうげき》系の異能だ。

自分の皮膚に生じた刻印を見る。

その数字は、「32」。

真逆《まさか》——

「ここを嗅《か》ぎ付けるなんて、さすが武装探偵社だなあ。さすが武装探偵社だなあ」

矮軀の青年は拾った拳銃を俺に向け、全弾《ぜんだん》を発射。弾倉の銃弾《じゅうだん》を撃ち尽《つ》くし、撃針《げきしん》が空を叩く。

弾丸は凡《すべ》て、俺の前方の地面に着弾して居る。

「厭《いや》だなあ。大事な数字なのに、銃なんか使うわけないじゃないか。厭だなあ」

痩身《そうしん》の青年は、病的な薄《うす》い笑みを浮かべて歩み寄ってくる。

「その数字は毀傷《ダメージ》を受ける度《たび》に減るよ。時間経過でも減るよ。そして、ゼロに成れば——」

「お前が……運転手とアラムタを殺した異能者か」

「うふ、うふ、あははは、それ知ってる、探偵だ、探偵が云う奴《やつ》だよねそれ、あははは」

青年を見る。金髪痩軀《きんぱつそうく》、擦《す》れた頭巾衣《パーカー》。およそ戦闘に向いた人種には見えん。

だが、俺は確信する。

――この異能者が、敵の頭領《ボス》だ。

○　○　○

太宰は通信機の端末《たんまつ》を操作する。

「旧式にも程《ほど》があるよ、この通信機！　こっちが周波数で、これが方角で――」

太宰の背後で、影が動いた。

「駄目《だめ》だ、最後の指示を認識しない――これは、制御鍵《せいぎょかぎ》が無いと命令を変更《へんこう》出来ないのか！」

背後から降る巨大《きょだい》な拳骨《げんこつ》が、太宰の顳顬《こめかみ》に激突。

太宰は人形のように吹き飛ばされ、錐揉《きりも》み回転をし乍《なが》ら床を滑《すべ》った。机に衝突《しょうとつ》し、鈍《にぶ》い音を立てて停止する。

「……痛いじゃあないか」

太宰が起き上がり、嗤《わら》う。凄絶《せいぜつ》な笑み。太宰の頰《ほお》を鮮血《せんけつ》が伝う。

大男が無表情に歩き、太宰へと近寄って行く。両手の拳《こぶし》に、金槌《かなづち》のような大型の鋼鉄拳鍔《カイザーナックル》を嵌《は》める。

大男が再び振りかぶり、拳の一撃《いちげき》。太宰は机を蹴《け》って回避《かいひ》。鋼鉄の拳が叩き付けられた木製の机が、一撃で粉々に砕ける。

「これは凄《すご》い腕力《わんりょく》！　荷運び業者に転職しなよ！」

床を滑るように移動した太宰は、大男から距離《きょり》を取って相対する。

「困ったね、非力なのだよ私は。君みたいな益荒男《ますらお》と拳骨で殴り合ったら、粘土《ねんど》細工のように粉砕《ふんさい》されてしまう。……でも助けるって千世ちゃんと約束したしなあ」

「通信機は……使わせぬ」

大男が通信機への道を塞《ふさ》ぐように立ちはだかる。

「そうかい。じゃ諦《あきら》めて逃《に》げよう」

太宰はいきなり躰を翻《ひるがえ》し、出口に向かって疾走《しっそう》した。

「待て！」

木製の扉《とびら》を抜《ぬ》けて、太宰が逃げる。大男が追う。

太宰は逃げ乍《なが》ら、木製の扉を閉める。大男が扉を開けようと手を伸《の》ばした瞬間《しゅんかん》、太宰が扉の向こうから、扉ごと大男を蹴り飛ばす跳躍両脚蹴り《ドロップキック》を叩き込む！

太宰の跳躍《ちょうやく》の体重を支えきれず、また扉に阻《はば》まれて防御《ぼうぎょ》動作も出来ない大男が、真面《まとも》に蹴りを受けて後方に吹き飛ぶ。粉砕された扉の木片《もくへん》を撒《ま》き散らし、大男が転がる。

「ストラーイク！」

太宰が着地。さらに追撃《ついげき》を加えるべく大男に歩み寄る。

大男は毀傷《ダメージ》を全く感じさせぬ素早《すばや》い動作で太宰の膝に低空回し蹴り。攻撃《こうげき》を予測して居た太宰が後方に跳ねて回避。

「頑丈《タフ》だなあ君！」

大男が背筋の膂力《りょりょく》で跳ね起き、右の鉤突《フック》きを放つ。上体を反らして回避する太宰だが、僅《わず》かに衣服が拳鍔《ナックル》に巻き込まれ、引っ張られて均衡《きんこう》を崩《くず》す。

「しまっ――」

太宰の腹部に拳がめり込む。即座《そくざ》に後方に跳ねて威力《いりょく》を殺そうとするも、大男の巨腕《きょわん》が真っ直《す》ぐ突《つ》き出され、太宰の躰を吹き飛ばす！

机を粉砕する拳を真面に喰《く》らった太宰は、くの字に折れ曲がったまま水平飛翔《ひしょう》。部屋の反対側の壁《かべ》に叩き付けられる。

衝撃で太宰の口唇《こうしん》から血混じりの胃液が漏《も》れる。

大男の追撃。振《ふ》り下ろされた棍棒《こんぼう》の如き豪腕《ごうわん》を、横に転がって避《よ》ける。さらに追撃の裏拳が太宰の頬にめり込み、首が千切れそうな程に弾《はじ》き飛ばされる。

太宰が震《ふる》えながら立ち上がる。

「重いだけでなく、疾《はや》いね……大猩々《ゴリラ》にでも育てられたのかい？」

軽口を叩きながらも、太宰の目は危機感に眇《すが》められている。

――勝てない。

ちらりと視線を窓の外、眼下に広がる格納庫を見る。

そこには、敵の異能者と戦う、国木田の姿があった。

○　○　○

俺は異能者たる青年に向け突進《とっしん》した。銃《じゅう》を失った以上、近接武術で制圧するしか無い。

青年が後退するが、俺は構わず前進し、青年の腕を掴むべく手を伸ばす。

俺の武術は、敵の攻撃の速度を利用して投げる技《わざ》が殆《ほとん》どを占《し》める。その為《ため》、今回のように相手が向かって来ない場合は、先《ま》ず相手を捕《つか》まえる必要がある。

青年が崩れるように体を引いて躱《かわ》す。捕まえるべく更《さら》に踏《ふ》み出す俺だが、青年の腕が掲《かか》げられるのを見て動作を急停止。

――衝撃波が来る！

地面を横に転がり、掲げられた腕の射線から逃《のが》れた。

逃れたが、逃れられなかった。

俺の躰《からだ》が後方に弾かれ、吹き飛ぶ。全身の骨が軋《きし》む。身体《からだ》の急加速に脳がついてゆかず、意識が暗転《ブラックアウト》しそうになる。

確かに——避けた筈《はず》だ。何故《なぜ》——

「ぼくの力はねえ、避けられないんだ。衝撃波を飛ばしてるんじゃない、『数字』のある人間を、好きな方向に加速、加速、加速出来るのさ。だから——」

「がッ⁉」

背骨が軋む。青年の腕が振り下ろされるのに合わせ、俺は地面に叩《たた》き伏《ふ》せられる。まるで重力が瞬間的に、万倍にも増したかのようだ。

「そうれ、蠅叩《はえたた》きだ！」

青年が腕を上下に振るたび、地面が俺に激突《げきとつ》する。下方向への加速を、連続で行われているのだ。連続で列車に撥《は》ねられているに等しい。骨が軋み、皮膚《ひふ》が裂《さ》ける。

躰中に刻まれた刻印は既《すで》に「21」にまで減っている。

「その数字は君の残り寿命《じゅみょう》さ！　それがゼロになった時、苦しみ藻掻《もが》いて死ぬ！　その運命からは誰《だれ》も逃れられない！　誰も！　誰も！　誰も！　誰も！」

加速が収まる。だが指一本動かせぬ。全身の筋肉がずたずたに裂けたかのようだ。呼吸に熱い液体が混じる。

「リタイアかなあ、武装探偵《たんてい》社のお兄さん？」

青年が無造作に近寄るが、俺は地に伏したまま動けない。息が苦しい。全身の関節が悲鳴を上げている。

「最初からこうやって一人ずつ殺していけばよかったなあ。よく判《わか》らない新人を黒幕に仕立てて内部崩壊《ほうかい》なんてさせなくてもさ。結局そっちは見破られたもの」

青年が近寄り、俺の頭部を無造作に蹴る。眼窩《がんか》の裏に紅《あか》い火花が飛ぶ。だが何の抵抗《ていこう》も出来ん。

「でも前向きは大事だね。ここでお兄さんを殺して、殺して、上に居る新人も殺して殺せば、それから飛行機が落ちて探偵社が面目《めんぼく》を失えば、少しは横浜での仕事がしやすくなるもの。しやすくなるよね？」

「仕事……だと？」

「君達のような民間異能組織に怯《おび》えてこそこそ荷物を運ぶなんて御免《ごめん》だよ。堂々と臓器を買って、堂々と武器を売る。商売繁盛《はんじょう》さ」

臓器に——武器。

　こいつら、臓器密売組織《シンジケート》か！

　ポートマフィアを売り手とすれば、此奴《こいつ》らは買い手だ。臓器、化学兵器、更には犯罪者人材。裏社会に関《かか》わる違《い》法《ほう》商品の悉《ことごと》くを扱《あつか》う、闇《やみ》の総合商社。幾《いく》つもの密輸業者を傘下《さんか》に置き、海外の犯罪組織と本邦《ほんぽう》とを結びつける。

「《蒼王》の事件で学んだね。武装探偵社の捜査《そうさ》力は舐《な》めちゃいけない。ぼく達は慎重《しんちょう》が売りだ。危ない敵は最初に潰《つぶ》す。これ商売の基本の基本」

　自分の躰の数字を見る。「11」。これが「00」になれば、運転手やアラムタのような死因なき死体の出来上がりと云《い》う訳だ。

「異国の武器商人に……随分《ずいぶん》と高く、買われたものだ」

「この土地にはポートマフィア、異国街の抗争《こうそう》、無法地帯の横浜租界《そかい》と、そこらじゅうに諍《いさか》いの火種がある。おいしい市場だよ」

　武器商人の青年が云う通り、この街に諍いの種が消えることは無い。

　彼等武器商人からすれば、新たな開拓地《フロンテイア》に上陸した航海士の気分だろう。臓器、或《ある》いは命知らずの破落戸《ごろつき》を買って海外の組織に売る一方、海外から来る軍の横流し武器、歴戦の傭兵《ようへい》を日本国内に持ち込み富を得る。

　法も道徳も通用しない闇の世界に、新たな死の商人が海外より引き寄せられた、と云う訳だ。

だが。

「貴様等に……武器をバラ撒かせる訳にはいかん。街角の些細《ささい》な喧嘩《けんか》でも、刃物《はもの》があれば大怪《おおけ》我《が》が起こり、銃火《じゅうか》があれば人が死ぬ。それが……」

「おっと、何してる？」

青年が腕を掲げ、俺の躰が上方に跳《は》ね上げられる。肺から呼気が絞《しぼ》り出されると同時に、胸《む》元《もと》に隠《かく》して居た手帳が飛ぶ。

しまった——！

「話で時間を稼《かせ》いで、手帳に字を書こうとしてたね。でも無駄《むだ》だね、無駄だね。君の異能は知ってる。手帳は貰《もら》ったよ」

青年が俺の手帳を掲げてゆらゆらと振る。

俺の異能の弱点は二点ある。字を書き破るという動作時間が必要な点。そして——手帳を奪《うば》われると異能が使えない点だ。

これで俺の異能は完全に封《ふう》じられた。

腰《こし》の裏には、前回の戦いで使った鉄線銃《ワイヤーガン》を所持して居る。しかしこれは敵を殺傷出来る程《ほど》の威力は無い。

だが、諦《あきら》める訳にはいかん。それだけは出来ん。

それは飛行機の人命が諦められないからでも、探偵社員という仕事を守りたいからでも無い。そうするべきだと、俺が決めているからだ。

全身に激痛が走るが、無視して躰を起こす。

「おっと……まだ目が死んでないね。それじゃあお代わりだ！」

さらなる衝撃。後方に吹《ふ》き飛ばされ、地面を転がる。

「がはっ……」

吐血《とけつ》。視界が霞《かす》む。もはや自分がどんな姿勢で居るのかも判らない。

「それじゃあダメ押しだ。ここに鍵《かぎ》がある。旅客機《りょかくき》に干渉《かんしょう》無線を送っている通信機の解除鍵だよ。これが無ければ旅客機は救えない。——欲しいかい？　欲しいよね？」

青年が衣嚢《ポケット》から薄《うす》い鍵を取り出す。小さく脆《もろ》い、黄色く濁《にご》った鍵。

俺は鍵を凝視《ぎょうし》する。

「欲しいなら、こうだ」

青年が力を込めて捩《ねじ》ると、鍵は音を立てて半ばから折れた。

「な——」

「あははは、ははは！　これで希望は潰《つい》えた。これでもう誰も墜落《ついらく》を止められない！　もう終わりだ、終わりだよね！　あはははは！」

青年が嘲笑《ちょうしょう》する。泥《どろ》の煮立《にた》つような、世界の終わりの嘲笑。

「さあ、幕引きだ。君を殺そう。殺してぼく達の鬨《かちどき》をあげるんだ！」

青年が手を掲《かか》げる。

肌《はだ》の数字が「04」を示している。


二階の通信室に思わず目を遣《や》る。

そこには太宰が居た。殴《なぐ》られて傷だらけの——

太宰が——

◯　◯　◯

窓の下には国木田が居た。

全身に攻撃《こうげき》を受け、満身創痍《まんしんそうい》の。

大男のさらなる一撃《いちげき》。顔面を吹き飛ばすような強打が太宰に突《つ》き刺《さ》さり、その勢いで太宰は窓硝子《まどガラス》に激突《げきとつ》。

飛び散る破片《はへん》。

04
04

太宰は国木田を見た。
視線が交錯《こうさく》する。
そして叫《さけ》んだ。

○　○　○

「国木田君！」

「太宰ィ！」

○　○　○

それだけで凡《すべ》て諒解《りょうかい》した。
俺は腰の鉄線銃《ワイヤーガン》を素早《すばや》く構え、太宰に向けて発射する。
鉄線銃の鉤針《かぎばり》は過《あやま》たず、太宰のすぐ傍の壁に刺さる。
鉄線を巻き取る。俺の躰《からだ》が宙に浮《う》く。

太宰は跳《と》んだ。

窓の外へ、一階の格納庫へ。

窓枠《まどわく》を蹴《け》って跳躍《ちょうやく》し、空中に身を躍《おど》り出す。

空中を躍る太宰の視線が、国木田に向けられる。

国木田の視線も太宰を捉《とら》えている。国木田は鉄線に引かれるように地上を疾走《しっそう》している。


両者の視線が、交錯し、何かを対話し、また離《はな》れる。

○　○　○

俺は鉄線銃を巻き取り、その張力に引かれるように疾走した。

太宰は既《すで》に通信室を離れ、空中に躍り出している。

通信室の窓の直下まで辿《たど》り着く。俺は、上方へと向いた鉄線の勢いに引かれるまま――

──壁を垂直に駆け上った。

「うおおおおおおおおおっ！」

壁を蹴りつけ、上方に加速する。窓にはすぐに届いた。窓枠を踏《ふ》みつけ、室内に躍り込む。

視線を上げると、眼前には褐色肌《かっしょくはだ》の大男。その両手には拳鍔《ナックル》。

人体など簡単に粉砕《ふんさい》する拳《こぶし》が、すぐさま俺の頭部へと振《ふ》り抜《ぬ》かれる。


大男は空中に飛ばされた。


飛んだ勢いのまま壁に激突する大男。その表情は驚愕《きょうがく》と当惑《とうわく》。

何が起こったのか理解出来ないのだ。勢いを利用され、投げ飛ばされたと云《い》う事が。

大男はすぐさま起き上がり、第二の鉄拳《てっけん》を放つ。

「何度来ようが同じだ」

俺は敵の勢いに逆らわず、躰を流しつつ相手の手首を取る。躰を斜《なな》めに引き乍《なが》ら、大男の肘《ひじ》を軽く支える。

そのまま体重を後方に引くと、大男の躰は下方から巨大《きょだい》な壁に突き上げられたかのように吹き飛び、天井《てんじょう》に激突する。

衝撃《しょうげき》に、大男の眼球が裏返る。

○　○　○

「何故《なぜ》だ何故だ何故だ何故なんだよ！」

一階の格納庫に降りた太宰は、軽い足取りで青年へと近寄っていく。

「悪いねえ。君の相手は私だよ」

「な……貴様、は」

「何故《なぜ》だ！　数字が……出ない！『加速』も出来ない！　何故だ何故だ何故なんだよ！」

「調査不足だねえ。私に異能は効かない」

青年が後退し乍《なが》ら太宰に手を掲げるが、太宰は全く頓着《とんちゃく》せずに歩み寄って行く。

「それに今の真似《まね》は何だ？　一切《いっさい》の言葉もなく、ただ目配せしただけでお互《たが》いの敵を交換《スイッチ》……それも全く同時に！　どうやったらそんな芸当が」

笑顔《えがお》のまま、青年へと近付いていく太宰。気圧《けお》されるように青年が後退する。

「お、お前は一体何なんだ！　お前の素性《すじょう》は完全に抹消《まっしょう》されていた！　一体何者、何者、何者なんだ！」

「ああ、自己紹介《しょうかい》がまだだったね」

太宰が青年の眼前に立ち、見下ろす。

ゆっくりと拳を握《にぎ》り、目の前に掲げて見せる。

太宰の右拳が青年の顔面を捉え、振り抜く。

衝撃に半回転した青年は、そのまま白目を剝《む》いて昏倒《こんとう》した。

「私の名は太宰。探偵《たんてい》社員だ」

○　○　○

獣《けもの》の如《ごと》く向かってくる大男を投げ飛ばす。

相手の力が強いほど、俺の投げ技《わざ》の威力《いりょく》は増す。

何度目かの投げ技で大男は窓枠を突き破って室《へや》の外に飛び出し、一階に落下した。

窓から下を覗《のぞ》くと、泡《あわ》を吹《ふ》いて気絶している。当分起きることはあるまい。

肌を見ると、刻印の数字は消えていた。太宰が敵の異能者を倒《たお》したのだろう。

やれやれ。

安心し、通信機を見る。後はこれを切るだけだ。

旧式の端末《たんまつ》を操作し、周波数と方角を探《さぐ》る。かなり古い型だが、何とか操作出来る。

「国木田君！」

階下で敵を倒した太宰が、階段を駆け上がって来る。

「その通信機を使うには、おそらくこの解除鍵《かぎ》が必要だよ！　けど、あいつ、今わの際《きわ》でこれ、折っちゃったみたいだ！」

太宰が慌《あわ》てた表情で、折れた鍵を見せてくる。

「知って居る」

「これじゃ通信機が使えない！　航空機が——」

「俺は常に問題《トラブル》を抱《かか》えている。不測の事態こそが俺の日常だ。故《ゆえ》に、こうして——」

俺は腰《こし》の衣嚢《ポケット》の縫《ぬ》い付けを破り、中から紙片《しへん》を取り出す。

「緊急《きんきゅう》用の手帳の頁《ページ》を、いつも仕込んでいる」

紙片を開き、自らの血液で文字を書き込む。

「『独歩吟客《ぎんかく》』——解除鍵！」

紙片は姿を変え、黄色い解除鍵になる。

「そして俺の異能は、一度瞠《しっか》り見た物体であれば、同等の形状を再現することが出来る」

「そ……そうなの？」さしもの太宰も目を丸くする。

「そうだ。驚《おどろ》いたか。驚いたな？　約束通り一杯《いっぱい》奢《おご》れ」

通信機の操作盤《ばん》を操《あやつ》り条件を合わせ、解除鍵を差し込んで回す。操作盤に緑の電灯が点《とも》る。

俺は無効化の釦《ボタン》を強く押し込む。

「これで航空機の操縦は回復した筈《はず》だ！　太宰、機長に通信を！」

「もうやってるよ！」

俺達は外へ向かって走る。しかし同時に、何処《どこ》からともなく、大気を震《ふる》わす地鳴りのような低音が響《ひび》いて来る。

この音は——

外に向けて走るうち、低音はみるみる大きくなり、耳を聾《ろう》する轟音《ごうおん》となる。

「機長！　聞こえるか⁉　こちらで妨害《ぼうがい》装置を止めた！　もう操縦出来る筈だ、疾《はや》く機首を上げて高度を稼《かせ》げ！」

「もうやっている！　だが、既に高度が下がりすぎている！　くそっ、間に合え！」

先程《さきほど》から聞こえる轟音は、旅客機《りょかくき》がすぐ近くを飛行する噴流音《ジェット》だ！

太宰と二人、建物の外に駆け出る。

大地に影《かげ》が差す。大気が轟轟《ごうごう》と叫《さけ》ぶ。俺達は空を見る。

空の下、俺達のすぐ目の前に、巨大な旅客機が迫《せま》っている！　俺達を追い越《こ》し、前方の大地へ吸い込まれていく。街並みへ。地上へ。

落ちるな。落ちてはならん。

落ちるな。飛べ、空へ。飛べ。

「飛べえええええええええええええええええっ!!」

吼《ほ》えるように叫ぶ。

旅客機の影が地表をかすめ、機首を上げる。

高度を取り戻《もど》し、大地に澎湃《ほうはい》たる颶風《ぐふう》を巻き起こし、前方の夕陽《ゆうひ》へと飛翔《ひしょう》していく。

――飛んだ。

間に合ったのだ。

紅《あか》く濃密《のうみつ》な夕刻の空に、白い旅客機が吸い込まれて、やがて輝《かがや》き消えていくのを。

俺と太宰は、何時《いつ》までも眺《なが》め続けた。

四

十三日。

久しく帰せざる拙宅《せったく》に帰し是《これ》を認《したた》む。

命に安んずるの道、一日を一日として満足するに在り。

吾《わ》れと傍輩《ほうばい》との尽力《じんりょく》により死せる人救え、されど死せる人強《あなが》ち生《い》き出《い》でず。

事実なり。問題は事実より起《おこ》る。事実をはなれて何の問題か人間界に起らむ。人間を動かさんものは事実なり。なれば生くるといふこと、死といふこと、是《これ》何の事実に依《よ》らんや。吾等《われら》その事実を知らむぞかし。

我等《われら》実《じつ》に是達《これら》の事実を見《み》て観《み》る能《あた》はざるなり。

連続脅迫《きょうはく》事件は、こうして終熄《しゅうそく》した。

俺と探偵《たんてい》社は後処理に追われた。市警軍警からの事情聴取《ちょうしゅ》、損害保険の報告書、報道機関への対応。調査員とは云《い》え、やらねばならん事務作業は山ほど在る。忙殺《ぼうさつ》され、感傷に浸《ひた》る余裕《よゆう》など寸毫《すんごう》も持たなかった。

事務仕事の存在を察知したのか、太宰は『調べ物が在る』などと言い訳して早々に雑務を放《ほう》棄《き》し、何処かに姿を消した。見付けたら締《し》め上げてやる。

今回の事件では、多くの市民が上空すれすれを飛び去る大型旅客機を目撃《もくげき》した。報道では異国の非合法組織が主犯であると報道され、首謀者《しゅぼうしゃ》の発見と逮捕《たいほ》に探偵社の活躍《かつやく》があったことが附記《ふき》された。

未曾有《みぞう》の大事故を水際で防いだ探偵社の功績が賞賛される一方で、探偵社周辺で発生した一連の凶悪《きょうあく》事件について、探偵社自身の責を問う向きも多かった。特に誘拐被害者《ゆうかいひがいしゃ》の瓦斯《ガス》による死に対する批判は当分後を引くだろう。

例によって膨大《ぼうだい》な雑務届出の類《たぐい》を熟《こな》した日、俺は社長室に喚《よ》ばれた。

「失礼します」一礼し、社長室へ足を踏《ふ》み入れる。

「業務は如何《どう》だ」社長が卓上《たくじょう》の書類に目を落としたまま問う。

「相変わらず目の回る忙《いそが》しさです。おまけに太宰の奴《やつ》が逃《に》げました。あの男、事務仕事が厭《いや》だからと事務員に書類仕事を丸投げし、軍警調査部の取り調べからも逃げ通しです。奴は一度熱湯の釜《かま》に突《つ》き落としてやらねばなりません。死んだら喜ぶので、死なない程度に」

「官憲の目の届かぬ処《ところ》で、露見《ろけん》せぬように遣《や》れ」

社長は書類を纏《まと》め、封筒《ふうとう》に仕舞《しま》ってから此方《こちら》を見た。

「今回は良く遣った。軍警の将官より、直接褒状《ほうじょう》が有った。『爾《なんじ》ら市井《しせい》探偵業の鑑《かがみ》なるべし』――だそうだ。私も肩《かた》の荷《に》が下りた。一時は――探偵社の看板を仕舞おうかとも考えた」

それは。

俺が何か云うより先に、社長は続ける。

「人命より尊き看板など存在せぬ。探偵社の存続が人命を危《あや》うくするのならば――とも思った。だが、解決した。国木田、お前の力だ」

そう云って、社長は眉間《みけん》を指で揉《も》んだ。

誰《だれ》にも職務の心労を見せない社長だが――少し疲《つか》れたのかも知れない。

「それで国木田。宿題の答えは出たか」

宿題。

——『入社試験』。

社長に依頼《いらい》された、太宰の入社可否判断。

「太宰の事であれば、もう結論は出ています。あの男は最悪です。先輩《せんぱい》の命令は無視する、職務中にふらりと消える、自殺が趣味《しゅみ》、女に甘い、力仕事が嫌《きら》いで事務仕事は怠《なま》ける。社会不適格者の旗手《カリスマ》のような男です。他《ほか》の仕事に就《つ》けば、三日と持たずに放逐《ほうちく》されるでしょう」

俺はそこで間をおき、予《あらかじ》め決めておいた台詞《せりふ》を云う。

「——ですが、探偵として見れば、太宰は最高の逸材《いつざい》です。数年と待たず、奴は探偵社屈指《くっし》の調査員となるでしょう。奴は——合格です」

「成る程。お前が其処《そこ》まで断ずるならば間違《まちが》い無かろう」

社長は入社書類に筆を走らせ、印を押した。太宰治——探偵社への入社を認める。

「処《ところ》で社長。もし宜《よろ》しければ、午後は請暇《せいか》したいのですが」

「構わぬ。何か用か?」

「少し——所用で」

○　○　○

藪《やぶ》の小道を抜《ぬ》けると、湾岸《わんがん》を見下ろす小さな墓地に出る。

小さな墓がぽつぽつと斜面《しゃめん》に並び、海の反射光を受けて白く輝《かがや》いている。俺は墓の間を縫《ぬ》いながら歩き、墓の一つ、真新しく小さい墓の前で立ち止まった。

献花《けんか》し、手を合わせる。

「犠牲《ぎせい》となった方のお墓参りですか、国木田様」

澄《す》んだ声に目を開けると、傍《かたわ》らに白い和服姿の佐々城女史が居た。右手には白菊《しらぎく》の束。

女史は俺の横に並び花を添《そ》えると、そっと目を伏《ふ》せた。

「和服の方が似合う」

「喪服《もふく》が善《よ》いのでしょうけれど、生憎《あいにく》これしか持ち合わせがありませんで。……国木田様は何時《い》も、仕事で関《かか》わった方が亡《な》くなると、こうして墓前に献花されるのですか」

俺と佐々城女史が来たのは、誘拐《ゆうかい》され、廃《はい》病院の地下で死んだ事件の被害者《ひがいしゃ》の墓だった。

「ああ。──別に理由は無い。そうすべきと思ったから、そうしているまでだ」

佐々城女史は否定も肯定《こうてい》もせず、ただ俺を見て微笑《ほほえ》んでいる。

海風が通り抜けて、林道の木々をかさかさと揺《ゆ》らした。

俺は独り言のように続ける。

「……初めて仕事で死者を出した時は、起き上がれぬ程《ほど》に泣いて仕事を無断欠勤《けっきん》した。もう立ち直れんと思った。だが最近では涙《なみだ》ひとつ出ん。故《ゆえ》に、涙の代替《だいたい》としてこうして墓に参るべきだと、そう思って居るだけだ。せめてそうしなければ、被害者が浮《う》かばれぬ」

「涙を流せば……死んだ方々は浮かばれますか」

「判《わか》らん。おそらく浮かばれも救われもせんだろう。涙を流そうが、墓前で祈《いの》ろうが、死者には届かん。彼等の時間は、もう止まっている。俺達に出来るのは、ただ悼《いた》む事だけだ。そして人が死に、生者がそれを悼む事が出来ると云う事実を以《もっ》て、正常な世界なのだと信ずる事だけだ」

「……残酷《ざんこく》なのですね、国木田様は」

佐々城女史の言葉に、振《ふ》り返る。

驚《おどろ》いた。

何時《いつ》の間にか、佐々城女史は瞳《ひとみ》に涙を湛《たた》えている。

「先般《せんぱん》のお話で……私ひとつ嘘《うそ》を吐《つ》きました。別れた恋人《こいびと》とは……死別したのです。理想に燃える人でした。私は彼《あ》の人の力になろうと尽《つ》くしましたが……私に愛の言葉ひとつ囁《ささや》くことなく、ひとり逝《ゆ》きました」

こんな時、心ある人は何か気の利《き》いた慰《なぐさ》めの言葉を掛《か》ける事が出来るのだろう。

「そうか」

だが俺は、そんな間の抜けた相槌《あいづち》を打つ事しか出来なかった。

「死んだ人は卑怯《ひきょう》です。国木田様の仰《おつしや》る通りです。死んだ人の時間はもう止まって居て、今から何をしても彼の人は喜ばず、何をしても微笑みません。もう——疲れました」

佐々城女史の頬《ほお》を一筋、瞳が支えきれなくなった大きな涙が流れ落ちた。

若《も》しこの世を知り尽くした仙人《せんにん》が居て、その仙人が完璧《かんぺき》な言葉をひとつ云えば、今の涙を止められたのだろうか。

判らん。俺は理想を求め、手帳に理想を記して、その実現の為《ため》ならば何だって耐《た》えてきた。今も完璧な言葉、世界の万民《ばんみん》が救われる完璧な救済は無いかと考えて居る。

だがその奮励《ふんれい》も、ひとりの女性の涙の前にはあまりに無力だ。

「失礼致《いた》しました。取り乱しまして……私、そろそろ失礼致します」

「大丈夫《だいじょうぶ》か？」

我ながら間抜《まぬ》けな質問だ。

「ええ。実は軍警察の方より、今回の事件の分析官《ぶんせき》の外部顧問《こもん》に任ぜられたのです。私はそちらの専門ですし、今回の事件は余りに複雑ですから……これから担当官吏《かんり》の方と打合せに」

軍警の外部顧問と云《い》えば、相当に優秀《ゆうしゅう》な人間でなくては成れん筈《はず》だ。事件解決の協力者だったと云う事実を差し引いても、元来よりそちらの世界で相応な実績があったのだろう。

「ならば、仕事で困ることがあったら、俺も貴女《あなた》を頼《たよ》ろう」

「ええ、是非《ぜひ》」

佐々城女史がようやく微笑む。

水平線から吹《ふ》く渚風《なぎさかぜ》が、山の稜線《りょうせん》を撫《な》でて通り過ぎていく。黙礼《もくれい》をして、佐々城女史は去った。それを見送って後、俺は横浜の風景を眺《なが》めるともなく眺めた。

ふと携帯《けいたい》電話が鳴って意識を移す。太宰からだ。

「国木田君。ちょっと来て欲しいのだけど」

太宰の声は珍《めずら》しく暗かった。

○　○　○

「何だ、こんな処で?」

太宰が俺を呼び出したのは、第一の事件があった件《くだん》の廃病院だった。

闇夜《やみよ》に見ればおどろおどろしく不気味な廃病院も、日中の陽《ひ》の下ではただの色褪《いろあ》せた廃屋《はいおく》に過ぎん。元は病室であったらしい一室では、割れた窓から斜《なな》めに射《さ》す陽光が、床《ゆか》に白い模様を作っている。

「この銃《じゅう》、どうやって安全装置外すの？」

見れば太宰が、珍しく拳銃《けんじゅう》を持って居る。複式弾倉《ダブルカラム》の小型拳銃で、社用の備品だ。探偵《たんてい》社員ならば何時《いつ》でも持ち出せる。

「そんな事を訊《き》く為に呼び出したのか？」俺は呆《あき》れながら、黒色拳銃の安全装置《セイフティ》を外してやる。

太宰は何度か銃口《じゅうこう》を虚空《こくう》に向け狙《ねら》いをつけて、それから云った。

「私、あの武器商人達が《蒼の使徒》だとは、迚《とて》も思えないのだよね」

——何？

「だってそうでしょう？　彼等にはこれだけの事件は起こせない。動機も無い」

「動機なら、俺が聞いた——横浜進出の為、邪魔《じゃま》となる探偵社を潰《つぶ》すべく事件を仕組んだ、と云う奴《やつ》ではないのか？」

「そうだよ。本人達もそう思ってた筈だ。でもそれって、どうしてもやらなきゃならない事かな？」

「……どう云う意味だ」

「彼等は《蒼王》の一件もあって、探偵社を非常に危険視して居た。でも彼等の邪魔をする武力組織は、何も武装探偵社だけでは無い筈だよ。軍警、沿岸警備隊、異能者なら内務省の異能特務課も警戒《けいかい》しなきゃならない。これだけの規模の脅迫《きょうはく》を起こしておいて、相手が探偵社だけと云うのは、費用対効果《コストパフォーマンス》が悪すぎないかな？」

「結論を聞かせろ」

「彼等は、何者かによって歪《ゆが》んだ状況認識《じょうきょうにんしき》をさせられて来た――つまり、探偵社こそ最大最悪の敵と過大評価するような情報を、彼等に吹き込んだ奴が居る」

真逆《まさか》。

それが真の《蒼の使徒》――この事件の黒幕だと云うのか？

「おい太宰、教えろ。お前はもう『その人物』の目処《めど》が付いているのか？」

「うん」

「それは誰《だれ》だ！」

思わず太宰の襟首《えりくび》を摑《つか》む。

太宰は表情を変えず、真っ直《す》ぐ俺を見返して云った。

「その人物に、此所《ここ》に来るように電子書面《メール》を出した。真犯人である証拠《しょうこ》を持って居るぞ、とね。

間もなく現れる筈だ」

何だと？

室内を見回す。

元は病室だったであろう、極一般《ごくいっぱん》的な室《へや》——目前に入口がひとつ、背後には窓。俺達の前には朽《く》ちて骨組みだけになった介護寝台《かいごベッド》が二つ。傍《かたわ》らに空の薬品棚《だな》がひとつ。他《ほか》には何も無い。床にも砂利《じゃり》や塵《ちり》はあまり無く、がらんと空虚《くうきょ》だ。——此所に、真犯人が来る？

「跫音《あしおと》だ」不意に太宰が云った。

俺は反射的に入口を見る。

聞こえる。床を踏《ふ》む音だ。ゆっくりと近付いて来る。

太宰が銃を握《にぎ》りしめているのに気付く。そのための銃か。

俺の銃は既《すで》に社長に返還《へんかん》して居る。今から手帳を使って拳銃を創《つく》るか——否《いな》、間に合わん。

知らず頰を汗《あせ》が流れる。

音が近い。間もなく現れる。

足が現れ、躰《からだ》が見え、その人物の姿が、顔が、明らかに——

「こんな処で何やってンだよ、眼鏡《メガネ》」

入口に立って居た人物。それは。

「何故《なぜ》……お前が此所に居る」

「そりゃあ己等《オイラ》の台詞《せりふ》だよ。事件の真相を見物に来たか？」

そこに居たのは、電網潜士《ハッカー》の六蔵少年だった。

——お前が犯人？

お前が《蒼の使徒》なのか？

頭脳が自動的に働く。六蔵少年ならば、太宰の筐体《コンピュータ》を遠隔《えんかく》操作して電子書面《メール》を送信すること
も可能だ。否、それ以前に太宰が《蒼の使徒》であると云う疑惑《ぎわく》は、六蔵少年の情報提供に端《たん》
を発《はっ》するのだ。

違法《いほう》の電網潜士《ハッカー》ならば、海外の非合法組織と連絡《れんらく》を取り、偏《かたよ》った情報を提供する事も不可能
ではないだろう。

そして何より——彼には動機が有る。

探偵社を憎《にく》む動機が。

俺を憎む動機が。

「何故だ、六蔵。俺の所為《せい》か？　そうなのか？　俺の所為でお前の父親が死んだから——その

事をお前は、そんなにも、恨《うら》んで居たのか？」

「父上？　父上を殺した奴は憎い。当然だぜ。けどな眼鏡《メガネ》——」

その時不意に、太宰が口を挟《はさ》んだ。

「成る程《ほど》、そうか。六蔵君、君は——私の電子書面《メール》を、覗き見たね？」

何？

太宰、お前は——真犯人に電子書面《メール》を送ったのではないのか？

その時。

銃声《じゅうせい》。

六蔵少年の胸に、大きな穴が開く。

鮮血《せんけつ》がしぶく。

「——」

口を開けて何か云おうとした恰好《かっこう》のまま、六蔵少年は前のめりに倒《たお》れた。

撃《う》たれたのだ。

反射的に太宰を見た。

だが、太宰の銃はまだ構えられて居ない。

太宰の表情も凍《こお》り付いている。

入口の方向、倒れた六蔵少年の背後から、声がした。


「申し訳ありません……国木田様」


入口から人影《ひとかげ》が現れる。

長い黒髪《くろかみ》。細い頸《くび》。白い和服。

手には拳銃。立ち上る薄《うす》い硝煙《しょうえん》。

倒れた六蔵少年の躰を乗り越《こ》え、こちらに歩いて来る。

不思議だ——

彼女は——美しかった。

「貴女《あなた》が、《蒼の使徒》か」

自分の声が、他人のもののように室《へや》に響《ひび》く。

「はい」

彼女の声は、凜《りん》として響き、俺の鼓膜《こまく》を揺《ゆ》さぶった。

「佐々城さん。貴女が凡《すべ》ての計画者だ。それは……認めるのだね？」

太宰が問う。

「太宰様。御願いが御座《ござ》います。銃《じゅう》を……お捨てになって下さい。でなければ」

佐々城女史の銃口が太宰を向く。

「捨てるよ。その代わり、幾《いく》つか質問をしてもいいかな」

「構いません。何でもお答え致《いた》します」

「判った。じゃあ銃は捨てよう」

太宰はあっさり、拳銃《けんじゅう》を足下《あしもと》に落とした。拳銃は床材《ゆかざい》に当たって乾《かわ》いた音を立てる。

「佐々城さん。貴女は何故、探偵《たんてい》社を狙《ねら》ったんだい？」

「太宰様は――既にご存じかとお見受けしますが」

「うん、流石《さすが》だ。私達の前では敢《あ》えて隠《かく》していたけど、貴女はおそろしく頭の回転が速い。その年齢《ねんれい》で犯罪心理学の高名な研究者と云《い》うのも頷《うなず》ける」

太宰は諦《あきら》めたように、言葉の続きを云った。

「貴女がやりたかった事は二つ。犯罪者への断罪と、探偵社への復讐《ふくしゅう》。そうだね？

犯罪者への断罪？

それでは、まるで――

「この方法しか……思い付きませんでした」

「復讐する事に意味は有ったのかな？」

「太宰様、世の凡百《あらゆる》復讐には意味など有りません。ただ……そうするしか無かった。間違《まちが》いであると自分で判《わか》っていても、死者の為に、そうしなければ我を失いそうだったのです」

復讐？

探偵社は善く恨みを買う。復讐したがる人間には事欠かない。

「そうだね。意味はないと判っていても、しなくてはならないのが復讐だ。そして不幸にも――貴女には他に、復讐するべき相手が居なかった」

――死別したのです。

――理想に燃える人でした。

「貴女という個人は非力だ。だが貴女にはその頭脳と、犯罪に関する知識があった。それを活《い》かして実際に何度も犯罪者を断罪した。だからこの《蒼の使徒》事件は、そんな貴女にとって必然とも云える計画だったのだろう」

太宰はそこで言葉を切り、俺を一度見てから、云った。

「貴女の行動は凡て、亡《な》き恋人《こいびと》の――《蒼王》の為の、弔《とむら》い合戦《がっせん》だね」

《蒼王》。

犯罪によって犯罪者を断罪した、稀代《きたい》の反乱者《テロリスト》。

探偵社がその居所を突《つ》き止め――そして死んだ。

「《蒼王》に共犯者が居るのではないかと云う推測は、以前から囁《ささや》かれていた。余りに犯行が鮮《あざ》やか過ぎたからね。だが、金銭で雇《やと》われた何も知らぬ実行犯は兎《と》も角《かく》、《蒼王》には思想を共有する共犯は居ない、と云う結論を当局は下した。何故なら、犯罪者が徒党を組むのは概《おおむ》ね政治的思想の共有か、金銭の山分けが動機だ。《蒼色旗《そうしよくき》の反乱者《テロリスト》》事件にはどちらも無い。――けど真逆《まさか》《蒼王》の恋人が、本人よりも遥《はる》かに優秀《ゆうしゅう》な策略家であったなどと、誰《だれ》ひとり想像さえしなかった」

「彼《あ》の人は……高潔な人でした。無くならぬ犯罪に心を痛め、虐《しいた》げられる人のない理想の世界を模索《もさく》して苦悶《くもん》して居ました。法理の遵守《じゅんしゅ》では凡ての人は救えぬと判っていた為、彼の人は法理を作る側――国家官僚《かんりょう》の道を志しました」

佐々城女史は胸にある何かを吐《は》き出すように、淡々《たんたん》と続ける。

「それでも道は険しかった。体制の悪癖《あくへき》、同僚《どうりょう》の容喙《ようかい》、上司の不理解――彼の人は挫折《ざせつ》して悶《もだ》え、また立ち上がっては悶えました。その道が刃《やいば》の群《むれ》を素足《すあし》で踏《ふ》み往《ゆ》く道であることは、傍《かたわ》らで見ている私にでも判りました。或《あ》る日、彼の人は壊《こわ》れました。理想に絶望し、腹を捌《さば》いて死のうとしました。私は耐《た》えきれずに——云ってはならぬ計画を口にしました」

犯罪による悪の断罪。

理想を叶《かな》える修羅《しゅら》の道。

「佐々城さん、おそらく《蒼王》が為《な》した一連の犯行は、殆《ほとん》ど貴女が考えたものではないのかな。愛する恋人の為に」

「後悔《こうかい》はしておりません」佐々城女史ははっきりと云った。「彼の人の理想は、私の理想です。彼の人が報《むく》われるならば、私は修羅にも悪鬼《あっき》にもなりましょう」

「けれど、その《蒼王》は死んだ。探偵社に追い詰《つ》められ、六蔵少年の父親と共に爆死《ばくし》した。そこで——止《や》めれば善《よ》かったんだ」

「いいえ、止める事は出来ません。計画はまだ半ばでした。彼の人の計画にあった、断罪せねばならない犯罪者には残りが居ました。そして……嗤《わら》われるでしょうが、彼の人が死んだと云う現実の前に、何もしないで居ることなど、私自身が耐えられなかった」

「そこで貴女は、断罪すべき残りの犯罪者に自発的に犯罪を起こさせ、探偵社にそれを裁かせる、と云う計画を組み上げた。醜聞攻撃《しゅうぶんこうげき》で刺激《しげき》すれば、探偵社は犯人逮捕《たいほ》の為《ため》に動かざるを得ない」

証拠《しょうこ》の残らぬ誘拐《ゆうかい》を続けたタクシー運転手。

国内からでは犯罪者であると云う資料すらない爆弾魔《ばくだんま》アラムタ。

違法《いほう》臓器売買を行い、密《ひそ》かに武器を輸入しようとした武器商人。

孰《いず》れも現行法の法規では極《きわ》めて裁くことが難しい、姿なき犯罪者達だ。

「この計画で最も素晴《すば》らしいのは、貴女自身は何の罪も犯《おか》していない、と云う事だ。恐《おそ》らく実際の撮影《さつえい》装置、誘拐監禁《かんきん》場所の設営、爆弾魔アラムタとの取引などは凡て武器商人達が行っていて、貴女は何一つ協力していないのだろう。武器商人達も、自分の意思と計画に基《もと》づき行動していると最期《さいご》まで思って居た筈《はず》だ。だから証拠も出ない。その武器商人達からしても、情報源である貴女から得た状況《じょうきょう》が真逆《まさか》意図的に歪《ゆが》められていた、とは思わない。だから幾ら当局が捜査《そうさ》しても、『武器商人達の情報収集ミス』としか判断出来ない」

誘拐犯を追い詰めた時も、太宰を問《と》い詰めた時も、常に感じて居た事だ。

『この犯人は、自ら手を汚《けが》さない』。

法規上、何の罪も犯して居ない犯人は、誰にも裁く事が出来ない。

——善いのか？

——そのような理不尽《りふじん》が罷《まか》り通る世界で、本当に善いのか？

「そして、貴女《あなた》は計画者である匂《にお》いを消すため自ら廃《はい》病院で誘拐被害者《ゆうかいひがいしゃ》に成りすまし、探偵社に接近した。運転手は貴女だけは誘拐して居ないのだよ。辻褄《つじつま》が合う為私達も深く追及《ついきゅう》しなかったが、運転手は『宿泊亭《ホテル》に向かう客を攫《さら》う』と云う当初の計画を外してまで、駅で気絶した女性を誘拐する理由がない。目撃者《もくげき》が大勢居るからね。そして、『その駅の女性は本当に知らない』と我々に弁解すれば、他《ほか》の被害者《ひがいしゃ》は知っていると公言したに等しい為、それも云えない。そうやって貴女は、全員の心理の隙間《すきま》を衝《つ》いて、見事に探偵社の懐《ふところ》に忍《しの》び込んだ」

太宰の眉間《みけん》には、何時《いつ》しか深い皺《しわ》が刻まれて居る。

「佐々城さん。理解に苦しむよ。貴女ほどの頭脳があれば、犯罪心理学に輝《かがや》かしい成果を打ち立て、或《ある》いは中央の犯罪捜査の仕組み造りに関《かか》わって、より先進的な犯罪者撲滅《ぼくめつ》組織を創設する事だって出来たかも知れない。そうすれば理想通りとは云わずとも、犯罪のより少ない世界になっただろう。なのに」

「私は……野心の無い女です。私はただ……彼の人が苦しむ顔を、見たくなかっただけで」

何故《なぜ》だ。

俺の脳裏《のうり》を、ただ一つの問いが回り続ける。

何故なのだ。

誰が間違って居るのだ。

理想から外れた人間は誰なのだ。

「佐々城さん。貴女の犯行もこれで終わりだ。幾《いく》ら貴女が自らの手を汚さない不可視の犯罪者と謂《い》えど、たった今六蔵少年を撃《う》ち殺した罪は隠《かく》せはしない。我々が目撃者だ。貴女は、現行法の下《もと》に裁かれる」

「いいえ、裁かれません」

佐々城女史は太宰に向けて銃《じゅう》を構える。

今更《いまさら》──そんな物で、何を脅《おど》そうと云《い》うのだ。

「目撃者は居《お》りません。貴方《あなた》がたは証言出来ません。何故ならば、若《も》し此所《ここ》での出来事を第三者に明かせば、再び探偵社への攻撃が再開されるからです」

佐々城女史の眼《め》が細められる。

脅迫《きょうはく》か。

其処《そこ》まで計算して、この場に──

「止めろ」

自分の喉《のど》から、かすれて乾《かわ》いた声が出た。

「止めろ。もう善い。探偵社への攻撃など二度とさせん」

「国木田様、動かないで下さい」

「止めろ！　何故だ！　何故なのだ！　貴女が銃を向けるべきは俺達ではない！」

「では国木田様、お教え下さい。私が銃を向けるべきは誰なのですか。私が憎《にく》むべきは誰なのですか」

「それは――」

誰か居る筈だ。

こうなってしまった元凶《げんきょう》が。

全員が報われ救われる、理想の世界がある筈だ。そこへ至る道を阻害《そがい》する、何か邪悪《じゃあく》なものが居る筈だ。

何か、何かが、きっと――

俺の逡巡《しゅんじゅん》を、回答の不在と取ったのか。

佐々城女史は、眉《まゆ》を寄せて目を伏《ふ》せる。

「私はこれまで通り、彼の人――《蒼王》の理想に殉《じゅん》ずる一個の銃口《じゅうこう》であり続けます。それを貴方がた探偵社に邪魔《じゃま》する事は出来ません。ですから、これは――」

佐々城女史は、ゆっくりと、銃口を下ろした。

「これは契約《けいやく》です。貴方がたは私に干渉《かんしょう》しない。私は探偵社を攻撃しない。私はこのまま、此所を去ります。そしてまた別の場所、別の組織を使って、同じ事件を起こします。次も、その次も。貴方がたにそれを防ぐことは許されません」

「いいのだね、それで」

太宰の透徹《とうてつ》した視線が佐々城女史に投げられる。

「太宰様、貴方ならば判《わか》る筈です。貴方は常に先を読み、感情に流されず全体最適となる行動を選び続けました。ならば此所で取るべき行動は一つと判る筈です」

「その通りだ。私は何もしないよ」

「それでは――」

佐々城女史が、俺を見詰《みつ》めて、ほんの僅《わず》かに微笑《ほほえ》む。

彼女はこれからも謀《はか》り続けるのだろうか。

他者を欺《あざむ》き、犯罪者を操《あやつ》って、死者と断罪の堆《うずたか》き山を築き続けるのだろうか。《蒼王》の亡《ぼう》霊《れい》にして従者――《蒼の使徒》として。

――死んだ人の時間はもう止まって居て、今から何をしても彼《あ》の人は喜ばず、何をしても微笑みません。

――もう、疲《つか》れました。

彼女に人を殺させてはならない。

こんなものは理想ではない。

理想の世界は必ずある。どうすれば見える。どうすれば理想に至れる。

邪魔者《じゃまもの》は誰《だれ》だ。


「国木田様」

佐々城女史が俺に囁《ささや》きかける。

「欺瞞《ぎまん》かも知れませんが、地下の貯水槽《タンク》で……迷いなく一直線に、私を助けて下さいましたね。少し……嬉《うれ》しかった。これが最期ですから、ひとつお伝えしたい事が御座《ござ》います。国木田様は」


銃声《じゅうせい》。

佐々城女史の胸を、三発の銃弾《じゅうだん》が貫通《かんつう》した。


胸部の穴から鮮血《せんけつ》が散る。

白き和装の佐々城女史は、舞《ま》う花弁のようにくるくると回った。

糸が切れた人形のように、彼女は――

「佐々城いっ！」

俺は駆《か》け寄る。彼女の躰《からだ》を抱《だ》き上げる。

軽い。肉を持たぬ人形のようだ。

胸の傷口からあふれた鮮血が、和服を深紅《しんく》に染めてゆく。


「ざ……まァ、みやがれ……」

顔を上げる。

床《ゆか》に倒《たお》れた六蔵少年が、黒色の拳銃《けんじゅう》を構えている。

「《蒼王》が……お前が、父上を……殺し、たんだッ……！」

流血し真っ青な顔をした六蔵少年が、凄絶《せいぜつ》に笑《え》む。

手の拳銃からは硝煙《しょうえん》。

「父上の、仇《かたき》だ……！　父上は正義の、人だ……！　ざまァ、みやがれ……！」

六蔵少年の手から、拳銃が落ちる。

六蔵少年は自らの流血の溜《たま》りに顔を落とし、一度幽《かす》かに痙攣《けいれん》して——動かなくなった。

「国、木田、様……」

俺の腕《うで》の中で、佐々城女史が囁く。

口《くち》の端《はし》から一筋の鮮血が、静かに流れている。

「貴方は……どこか、彼の人に……似ています……」

鳶色《とびいろ》の瞳《ひとみ》が光を反射して揺《ゆ》れる。

「どう、か……理想に、殺されぬ、よう……私、は……好《す》……………」


…………………………。

死んだ。


「国木田君。彼女は人を殺し過ぎた。こうなるしかなかったんだ」

太宰の言葉に、かっと頭に血が上る。

「太宰ィ！」

太宰の胸倉《むなぐら》を摑《つか》み上げる。

太宰は表情ひとつ変えず、ただ激昂《げきこう》する俺を見返している。

「国木田君。君が考えるような、理想の世界はない。諦《あきら》めるんだ」

「黙《だま》れ太宰！　相手はたかが、拳銃に慣れぬ女性一人だぞ！　殺す事など無かった！　殺さずとも、お前が時間を掛《か》けて正しく対策をすれば、これ以上の犠牲《ぎせい》は避《さ》けられた筈《はず》だ！　なのに！」

「殺したのは私じゃあない。六蔵少年だ」

「俺が判らんとでも思ったか！」

俺は六蔵少年の傍《かたわ》らに落ちる黒色拳銃を指差す。

「あれはお前の拳銃だ！　俺が話をしている隙《すき》に、お前は密《ひそ》かに足下《あしもと》の拳銃を蹴《け》って、六蔵少年に渡《わた》したのだ！　そうすれば六蔵が、彼女を撃《う》ち殺すと知っていて！」

太宰の位置からであれば、寝台《しんだい》の下を通して、佐々城女史から見えぬように拳銃を蹴り渡すことが可能だ。

「私は殺してない」

「殺したも同然だ！」

「残念だけど、その殺意は証明出来ないよ。拳銃を握《にぎ》ったのも、引金を引いたのも、殺意を持って居たのも六蔵少年だ。私はただ、足下の拳銃に躓《つまず》いただけだ」

手を汚《よご》さぬ殺人――

太宰がしたことは、佐々城女史がしたことと同じだ。

第三者の手で、第三者の殺意を以《もっ》て、人を殺させる。

現行法では、その殺意を証明することは出来ない。裁く事も出来ない。

「国木田君。あれが彼女にとって唯一《ゆいいつ》の救いだ。これが一番善《よ》かったのだよ」

「違《ちが》う！」俺は叫《さけ》ぶ。「こんなものが理想であって善い筈がない！　何かあった筈だ、本当の問題が何かあった筈だ！　何故《なぜ》なら」

若《も》し佐々城女史が本当に世界を憎《にく》んでいたのなら。

俺達を本気で滅《ほろ》ぼす気で居たのなら。

あの時——廃《はい》病院で、俺が毒瓦斯《どくガス》に踏《ふ》み込もうとした時。間近に居た佐々城女史が咄嗟《とっさ》に止めなければ、俺は瓦斯を吸い込んで死んで居た。殺す気があれば、あの時簡単に俺を殺せたのだ。復讐《ふくしゅう》出来たのだ。唯《ただ》の過失に見せかけて。何の罪も負わずに。

だが彼女は俺の命を助けた。それは何故だ？

それが——本能から出た、反射的な行動だったからではないのか？

俺は喉《のど》から絞《しぼ》り出すように、太宰に言葉を叩《たた》きつける。

「何故なら佐々城女史は、本当はこんな事件など起こしたくなかったからだ！　彼女は、犯罪者が断罪される世界など少しも望んでは居なかった！　彼女はただ」

——私はただ……彼の人が苦しむ顔を、見たくなかっただけで。

——駄目《だめ》です、その錠前《じょうまえ》に触《ふ》れては不可《いけ》ません！

「教えろ太宰！　彼女が撃たれて死ぬのが正しい事なのか！　こんなものが俺の求める……理想の世界なのか……！」

太宰は俺を眺《なが》め、ただ静かに言葉を紡《つむ》ぐ。

「国木田君。どこかに正しい、理想の世界が存在する——そう云《い》う考え方をする人間が、理想通りにならぬ世界を憎み、周囲を傷つける。《蒼王》がそうだった。理想や正しさを貫《つらぬ》いて傷つくのは、周囲の弱い人間なんだ」

太宰の視線は、何処《どこ》か遠くに向けられている。

「正しさを求める言葉は刃物《はもの》だ。それは弱者を傷つけこそすれ、守り救済する事は出来ない。佐々城さんを殺したのは——《蒼王》の正しさだ」

太宰の弾劾《だんがい》は、そのまま俺を剔《えぐ》る。

正しい、理想の世界を求めて来た。

理想を実現するために、凡《すべ》ての困難を退けて来た。

「国木田君。君がそのまま理想を求め、理想を阻《はば》むもの達を排除《はいじょ》し続ける限り、いつか君にも《蒼王》の炎《ほのお》が宿るだろう。そして周囲を焼き尽《つ》くすだろう。私は——そう云う人間を、何人も見てきた」

太宰の視線は、他《ほか》の誰《だれ》にも見えぬ何かに向けられている。

その視線は、俺には理解も及《およ》ばぬような人間の闇《やみ》、この世の深淵《しんえん》を見詰《みつ》めている。
「俺は――」
俺は太宰から手を離《はな》す。
太宰の云う事は判《わか》る。
正しさとは外にではなく、自らの内に求めるものかも知れん。
だが――
佐々城女史は死に、六蔵少年も死んだ。
自らの内に正しさを求め、返ってくるのは無力感ばかりだ。
「…………」
廃病院の窓から、外を眺める。
朽《く》ちた前庭に、朱《あか》い彼岸花が揺れている。
目を閉じても、その朱《あか》は消えずに瞼《まぶた》の裏に残った。
微笑《ほほえ》んだ彼女の面影《おもかげ》も。

幕間《まくあい》 二

黄昏《たそがれ》。

横浜の港湾《こうわん》を眺める湾岸《わんがん》沿いの道に、車輛《しゃりょう》が一台、横転し炎上《えんじょう》していた。

軍警の護送車である。二人の護送憲兵は殺され、車輛に引っ掛かって揺れていた。

「や、やめやめろ、な何故お前らマフィアがぼぼくを」

生きている影《かげ》は二つ。

一つは武器商人である青年。逮捕《たいほ》され、軍警基地へと輸送される最中、襲《おそ》われ負傷した。

「何故か？　理由を問うか武器商人。愚《おろ》かな」

もう一つは黯《くろ》き影。蠢《うごめ》く外套《がいとう》を背負い、青年に近寄る芥川である。

「貴様《やつがれ》は僕らポートマフィアを愚弄《ぐろう》した。臓器を鬻《ひさ》ぎし運転手を、ポートマフィアに情報を態《わざ》と流し処理させようとしたな。自らの利が為《ため》にマフィアを騙《だま》し動かす者はこれまで必ず滅びてきた。今この瞬間《しゅんかん》もそれは変わらぬ」

芥川の黒靴《くろくつ》が進む。青年が尻餅《しりもち》をつく。

「だ、誰も誰もぼくを処分など出来ない！　死ね！」

青年が腕《うで》を掲《かか》げると、芥川の皮膚《ひふ》に、刺青《いれずみ》の如《ごと》き紋様《もんよう》が浮《う》かび上がる。数字の「21」。

更《さら》に青年が腕を振《ふ》り下ろす。芥川が後方に『加速』し、吹《ふ》き飛ばされる。

だが。

「な――」

芥川は後方に飛ばされたが、柔《やわ》らかく止まり、ゆっくりと元の位置に戻《もど》った。顔色ひとつ変わらない。

「その程度か」

芥川の外套は無数の黒針となって地面に刺《さ》さっており、それが緩衝剤《クッション》の役割を果たして芥川の躰《からだ》を支え、衝撃《しょうげき》を殺したのだ。

応酬《おうしゅう》とばかりに芥川が『羅生門《らしょうもん》』の黒獣《こくじゅう》を展開。

外套より生じた黒獣が二頭、武器商人の青年に殺到《さっとう》する。青年は回避《かいひ》しようとするが間に合わず、黒獣の鋭《するど》き顎《あぎと》に食い裂《さ》かれた。

苦痛の絶叫《ぜっきょう》をあげながら、青年は食い千切られ引き裂かれ、無数の肉片《にくへん》となって死に果てた。

芥川は醒《さ》めた表情のまま、その様子を眺め続けた。

「凄《すご》いな。食欲《しょくよく》が無くなる光景だ」

芥川が振り返る。人影《ひとかげ》。

言葉を発するより疾《はや》く、芥川が『羅生門』の黒刃《こくじん》を射出した。人影、その頸《くび》に向けて、鉄をも裂く黒刃が飛翔《ひしょう》する。

だが、人影の頸に刃《やいば》が至ろうとした瞬間、衝撃。

何か不可視の力が働き、黒刃が弾《はじ》かれる。

黒刃は頸の皮を薄《うす》く削《そ》いだのみ。異能の力による防禦《ぼうぎょ》である。

「いきなり攻撃《こうげき》するなよ。商売相手だろう」

「貴様らとて、ポートマフィアを動かし利を得る不届者《ふとどきもの》である事は変わらぬ」

芥川の視線の先より、男が近付いて来る。

黒帽子《ぼうし》の白人。壮年《そうねん》の男。

太宰と国木田が大使館にて対面した、米国諜報《ちょうほう》員である。

諜報員は頸を掻《か》きながら、芥川に気安く話し掛《か》ける。

「そりゃ誤解だ。俺は謂《い》わばクライアントだろう。あんたらマフィアはそこの武器商人に代わって武器取引の海外流通路《ルート》を手に入れた。俺達は自国の違法《いほう》輸出業者が、日本で問題を起こすのを阻止《そし》した。立派な取引だろう。泥棒扱《どろぼうあつか》いはやめてほしいね」

「貴様ら諜報員は騙し唆《そそのか》しが常套《じょうとう》だ。この事件に関《かか》わるのも、別の狙《ねら》いがある筈《はず》だ」

「そりゃあるさ。だが心配するな、もう終わった」

　諜報員は笑《え》みとともに続ける。

「《蒼王》事件が起こった時は俺達の顔も青くなったもんだ。何しろ《蒼王》が断罪した与党《よとう》議員は、俺達が弱みを握って利用していた非合法協力員だったからな。《蒼王》はそれを知らなかったろうが、事件が長引けばそれが露見《ろけん》する。だから俺達は《蒼王》には出来ればこの世から退場して欲しかった訳さ。そこで俺達は秘密裏《ひみつり》に事件を調べ、《蒼王》の隠れ家を探偵社にこっそり教えた。勿論《もちろん》、情報源の偽装《ぎそう》をしたうえでね。更に市警の捜査《そうさ》本部に誤情報を流し、指示系統を混乱させた。狙い通り《蒼王》は少数の警官に包囲され、自爆《じばく》して死んだ。これで真相は闇の中。凶悪犯《きょうあく》も死んで、全員が幸せになったって訳だ」

　芥川は諜報員の言葉を暫《しばら》く思議した後、口を開いた。

「武器商人排除《はいじょ》は兎《と》も角《かく》、海外諜報組織が秘密保持の為に日本の擾乱者《テロリスト》を消すとは思えぬ。何故《なぜ》だ？」

「ああ。そっちの件は政府諜報組織として動いた訳じゃない。俺はある別組織にも列席していてね。そちらの仕事で動いたのさ。組合《ギルド》って云《い》う組織のね」

「二重間諜《スパイ》か。陳腐《ちんぷ》な内情だ」

「副業だよ。組合《ギルド》の構成員はそれぞれ表の顔を持っているからな」

課報員は踵《きびす》を返し、歩き去って行く。

「マフィアにはまた仕事を頼《たの》むかも知れない。その時は宜《よろ》しく」

芥川は鋭い視線で、課報員の背中を見詰める。

「待て。一つ聞きたい」

芥川の声に課報員が足を止める。

「僕《やつがれ》はある人物を捜《さが》して居る。『触《ふ》れた相手の異能力を無効化する』と云う異能力を持つ男だ。心当たりは無いか」

「無いね、悪いが」

「では消えろ」

「はいはい」

再び歩き始めた課報員は、宵闇《よいやみ》の向こうへと消えていった。

「──貴方《あなた》は何処《どこ》に居る。何故突然《とつぜん》消えた」

誰《だれ》も居なくなった路上で、芥川は独白する。「《蒼王》が貴方ではと、一瞬《いっしゅん》疑った。だが違《ちが》った。何処に居る。貴方が死んで居る筈が無い。この横浜の何処かに生きている」

芥川の言葉は黄昏の渚風《なぎさかぜ》にさらわれ、発せられた端《はし》から消えていく。

「必ず見付け出す。僕《やつがれ》が師──元ポートマフィア幹部の太宰さん」

結幕《エピロオグ》

探偵社の事務机に座り、手帳をぱらぱらと捲《めく》る。

「以上だ。これが二年前の事件——《蒼の使徒》事件の全容だ」

長い語りを終え、俺は手帳の頁《ページ》を閉じる。

「それが国木田さんが太宰さんと組んだって云う、最初の事件だったンですね」

隣《となり》で話を聞いていた谷崎《たにざき》が、感心した声をあげた。

「そうだ。全くあの男はあれから全く変わらん。相も変わらず人を喰《く》った態度で、相も変わらず俺に面倒《めんどう》を掛ける。今日も仕事だと云うのに姿を現さん。——ナオミ、発信器の信号は摑《つか》めたか？」

「結果が出ましたわ。発信器は、二十分ほど前から動いていない様子ですわね。場所は——河かしら」

　河？

ナオミが広げた地図を覗《のぞ》き込む。

太宰に渡《わた》していた小銭《こぜに》型の発信器が、河の中腹で静止している。

暫《しば》し黙考《もっこう》。

「判《わか》ったぞ。あの阿呆《あほう》、移動中にふらっと河に飛び込んで、発信器ごと財布《さいふ》を河に流したな。そして財布は流され、此所《ここ》で止まった。本人はもっと下流だろう」

捜査中の太宰と携帯《けいたい》電話で会話中、『良《い》い河だね』と云ったきり通話が切れた時は何事かと思ったが――

どれだけ仕事の相棒たる俺に迷惑《めいわく》を掛ければ済むのだ、あの自殺嗜癖《マニア》は。

「あの唐変木《とうへんぼく》を捜して来る。全く、何が悲しくて、探偵の仕事をする前に相棒の居所を捜査せねばならんのだ」

「お気をつけて、国木田さん。今日の仕事は？」谷崎が立ち上がる俺に声をかける。

「虎捜し、だ。横浜を騒がす『人喰い虎《とら》』を捕縛《ほばく》する」

厄介《やっかい》な依頼《いらい》だが、それでも――

――数年と待たず、奴《やつ》は探偵社屈指《くっし》の調査員となるでしょう。

それでも、太宰であれば容易に解決するだろう。

俺は手帳を持って探偵社を出る。

黄昏《たそがれ》は迫《せま》り、横浜の空は蒼《あお》と紅《あか》に塗《ぬ》り分けられている。

何処かで嗅《か》いだような匂《にお》いの風が鼻腔《びこう》をくすぐり、俺は足を止めた。

街を眺《なが》める。

街が在り、人が在り、時には事件と悲《かなし》みが在る。

深き悲哀《ひあい》に突《つ》き当たるたび、俺の理想は打ち拉《ひし》がれ、言葉は意味を失い、心は血を流す。

理想を追うのは余りに無益で困難だ。

だが、敢《あ》えて、それでも敢《あ》えて——

横浜の雑踏《ざっとう》に身を預け、俺はまた、歩き出した。

あとがき

初めましての方は初めまして。そうでない方は久しぶりだな！　朝霧です。

私は漫画《まんが》『文豪ストレイドッグス』でお話づくりを担当しています。普段《ふだん》は
太宰「やあ敦君、仕事？　おつかれさま」にっこりする太宰。

敦「ま……また入水自殺ですか？」なんともいえない顔の敦。

というふうに適当な文章を書くと、作画の春河35先生が実に生き生きしたキャラたちの掛《か》け合いを絵にしてくれます。なのでとっても楽ちんなのです。

ですが本作は違《ちが》います。

私がすべての文章を責任をもって執筆《しっぴつ》し、舞台《ぶたい》のすべてを——机のコップ一個から、街のおっさん一人に至るまで——監修《かんしゅう》し調節し支配して書き上げたのがこの小説です。

たとえるなら、漫画のほうでは春河先生が「役者」「カメラマン」「音響《おんきょう》」「照明」「シーン編集」などをぜんぶ担当し、私の担当はせいぜい脚本《きゃくほん》と監督《かんとく》助手くらいでした。

それが今回は私がぜんぶ担当です。大抜擢《だいばってき》です。責任重大です。あまりのコトの大きさと初

小説という重圧とで、私の体は携帯電話《けいたいでんわ》のマナーモードのように震《ふる》えっぱなしでした。

しかし震えた甲斐《かい》あって、漫画よりもある意味で濃厚《のうこう》な『文豪ストレイドッグス』の世界観をご堪能《たんのう》いただけたかと思います。


この小説は漫画『文豪ストレイドッグス』の二年前を描《えが》く外伝的作品です。ですが予備知識なくこの小説から読んでもハラハラしたり、ビックリしたりできるよう工夫されています。さらに現在、本作でも登場したポートマフィアの過去を描く小説第二巻も予定されています。そのの責任と重圧で、今も私はこたつの脚《あし》が壊《こわ》れるほど震えています。床《ゆか》が抜《ぬ》ける前に書き切りたいと思いますので、ご期待ください。

最後に、漫画担当編集の加藤様、ビーンズにて小説担当編集の越川様。いつも通りのスタイリッシュな表紙と挿絵《さしえ》を描いてくださった春河先生（先生に描いていただかなければ本作は『文豪ストレイドッグスっぽいけどパクりっぽくもある何か』で終わってしまうところでした！）。広報、取次《とりつぎ》、書店の皆様《みなさま》、ここまで読んでいただいた皆様！　誠《まこと》にありがとうございました。

次回作でお会いしましょう。

朝霧カフカ

「文豪ストレイドッグス　太宰治の入社試験」の感想をお寄せください。
おたよりのあて先
〒102-8078　東京都千代田区富士見1-8-19
株式会社KADOKAWA　角川ビーンズ文庫編集部気付
「朝霧カフカ」先生・「春河35」先生
また、編集部へのご意見ご希望は、同じ住所で「ビーンズ文庫編集部」
までお寄せください。

文豪《ぶんごう》ストレイドッグス　太宰《だざい》治《おさむ》の入《にゅう》社《しゃ》試《し》験《けん》

朝霧《あさぎり》カフカ

角川ビーンズ文庫　BB96-1　18499

平成26年4月1日　初版発行
平成28年9月5日　18版発行

発行者――三坂泰二
発　行――株式会社KADOKAWA
東京都千代田区富士見2-13-3
電話(03)3238-8521(カスタマーサポート)
〒102-8177
http://www.kadokawa.co.jp/
印刷所――暁印刷　製本所――BBC
装幀者――micro fish

ISBN978-4-04-101312-0C0193 定価はカバーに明記してあります。